日本を危機に陥れる陰謀の正体

鈴木宣弘 深田萌絵 池田清彦 谷本真由美 ほか

宝島社

はじめに

陰謀論と聞くと、眉唾物であると、相変わらず考える人々がいる。しかし、陰謀論は確かに眉唾かもしれないが、陰謀は存在している。

陰謀であるから暴かれることはほとんどない。だから、都市伝説のように囁かれるだけで、証拠は出てこない。しかし、明らかに陰謀は存在している。

現在、多くの日本人が新型コロナウイルスのワクチンについて、おかしいと思っている。なぜ、3回も4回も打っても、新型コロナウイルスにかかってしまうのか。それも、ワクチンを打った直後に感染してしまう。

しかし、政府は相変わらず、新型コロナウイルスのワクチン接種を進めている。なかには、7回も接種した人たちもいる。

そのような状況に、おかしい、何かがあるに違いないと思う日本人も多くなった。まさしく、グローバルな製薬メーカーの陰謀なのだ。彼らが儲けるために、ワクチンが効かないとわかっていて、ワクチンを打たないと感染して他人に迷惑をかけると、宣伝しまくったのだ。それに、まんまと乗せられたのが日本政府だ。

このようなことは、ワクチンだけではない。ワクチンについては多くの日本人が疑問に思っているし、そのような本はたくさん出ている。

この本では、ワクチンについてはほとんど触れない。そのほかの、私たちの生活に直結している陰謀について触れる。金融、ＩＴ、食、そして環境だ。それは第一部で各専門家に、話を聞いた。

さらに、第二部では、陰謀に騙されないために、どのようにニュースに接し、さまざまな情報に接するかを、専門家や識者に聞いた。

私たちが騙されている内容を理解し、そして、騙そうとする人々から身を守る方法を知れば、日本を危機に陥れている正体が明らかになるだろう。

編集部

※本書では、インタビューに答える方によって考えが違う場合もありますが、その方の意志を尊重して、あえて調整していません。

第一部 陰謀の正体

第1章 金融における陰謀とは何か？

第2章 ＩＴにおける陰謀とは何か？

深田萌絵氏（ＩＴビジネスアナリスト）に聞く！

第4章 環境における陰謀とは何か?

る／旬の流れは人工的に作られる／現実社会のニュースは裏があると思った方がいい／そのニュースで誰が儲かるか、思い浮かべる

第6章 世界の正しいニュースの見つけ方

谷本真由美氏（元国連職員）に聞く！
●嘘に翻弄されない情報ソースはどこにありますか？

1に公的情報、2に調査報告書 3にニュース、4に信じられる人のネット情報……246

まず見るべきは官公庁が出している公的情報、特に統計情報です／ある地域の治安情報を日本と海外サイトで比べてみる／翻訳サイトや翻訳ソフトを駆使して海外の情報をゲット／主要なニュースは三番目の情報／イーロン・マスクとつながるジャーナリスト、シンクタンクの研究員をフォロー／元メーカー、元プラント、元交通の実務に携わっていた人もフォロー／フォローしている市井の歴史研究家、ミニタリーオタク／メディアは出資者とそのカラーを知っておきたい／イエスかノーかの業界で生きてきた／様々な考えの、様々な人がいるロンドン／すごい発想力を持った子どもたち／英語を学ぶ時間があるなら、学んでおくべき／有事の時に、命を助ける英語／ベトナム難民の方が語った言葉の重要性／現状を改革する勇気が必要／日本にとってウクライナは他人事ではない

第7章 ディープフェイクを見破る方法

笹原和俊氏(東京工業大学准教授)に聞く!
●ディープフェイクの怖さは何ですか?

「嘘による実害が発生することと、『嘘の配当』、そしてAIがその情報を学習してしまうことです」……282

2016年の米大統領選挙のフェイクニュースは序の口/今までのリテラシーが通用しないディープフェイクが登場している/嘘をついたもの勝ちの時代が来るかもしれない/中国がディープフェイクで偽の報道番組を作った/特定の人に向けたフェイクも作ることができる/ロシアは見え見えのプロパガンダ隠しをしている/SNSでは反ワクチン派の傾向は日米で同じ/報道機関は信頼が大切。信頼が共感を生み、共感が正しく情報を伝える/噂は「話題の重要性×状況の曖昧性」で広がる/プラットフォーマーが意図的な偏向を行っているとは考えづらい/拡散するスピードが一番速いのは「怒り」の感情/フェイクニュースの拡散を防ぐ正確性のナッジ/フェイクニュースのマジョリティは政治の話/正確な情報がタダで手に入る時代は終焉を迎えたのでしょう/複数の情報ソースを持って、それらに書かれていない情報はスルーする

装丁/妹尾善史(landfish)　本文DTP/株式会社ユニオンワークス
本書は2023年1月に小社より刊行した『現代陰謀事典』と同年3月に刊行した『世界のニュースに隠された大嘘を見破る方法』を合本し、加筆、改訂、改題したものです。

第一部　陰謀の正体

第1章

金融における陰謀とは何か？

真田幸光氏（愛知淑徳大学ビジネス・コミュニケーション学部教授）に聞く！ 金融における陰謀とは何か？

●戦後日本はどのようにアメリカに牛耳られてきたのでしょうか？

日本を〝ものづくり奴隷大国〟にして支配したアメリカ

紙切れが経済価値の判断基準になっている矛盾

編集部　アメリカは日本をどのようにして支配したのでしょうか。特に金融におけるアメリカの見えない支配とはどのようなものなのでしょうか。

真田幸光氏（以下、真田）　金融についてはお話しできることは一つです。何の担保もない紙切れが、モノやサービスの経済的価値判断の基準になっているということです。これが、現在の混乱の源です。

この紙切れとは紙幣のことです。かつては金本位制とか、銀本位制などとかいわれて、金や銀の裏付けが通貨にはありました。あるいは、金や銀そのものが通貨として使われているということもありました。しかし、金や銀では使い勝手がわるいということもあり、紙幣が生まれ、いまに至っています。そして、現在は電子マネーやデジタルマネーの動きが出ています。

しかし、金や銀の担保のない紙切れが、それでも紙幣として流通している理由には、裏付け、担保といってもいいものが存在しているからです。それがアメリカの国力です。ただし、国力は、はっきりしたものではありません。ファジーなものです。

それでも国力が上がったり、下がったり、変動することで為替レートが動きます。国力はファジーですから、国力にかかわると思われるニュースやトピックによっても為替レートが動きます。

このように、為替レートは変動します。そうしたことも背景となって、現在は変動相場制になっているわけです。このように、現在の紙幣である現行の世界の基軸通貨・米ドルは、とりあえず、アメリカの国力が裏付けとなっており、担保となっています。

このように、現行の世界では最も安心安全であり、覇権を握る国として自他共に認識されているアメリカという国の国力が担保となっているため、市場では、モノやサービスの経済的価値判断の基準はアメリカドルで行いましょうとなっています。これは、マーケットのディファクトスタンダード、コンセンサスです。

これは、ルールがあるわけではなくて、必ずしも法で決まっているわけでもありません。アメリカドルがディファクトスタンダードになっている理由は、世界の中でも結果的には最も多く使われている紙幣だからですし、アメリカの国力が一番安心安全であり、強いと信じられているからです。

そして、現在の問題は、このディファクトスタンダードが崩れる兆候を見せていることです。アメリカは、人々が生きていくために必要である水、食料、原材料、エネルギー、そして物流、これらの基本的なところを、第二次世界大戦後、押さえてきました。

しかし、それらの主たる生産を下請けに任せています。アメリカは基本的にものづくりを自分たちではあまりしません。そして、アメリカは、自分たちが必要な生活必需品などの生産を日本に下請け生産させてきた、よって、日本のことを「ものづくり奴隷大国」と秘かに呼んでいます。

ものづくり奴隷大国・日本

編集部　ものづくり奴隷大国ですか、あまりにも見下した言い方ですね。

真田　ものづくり奴隷大国です。要するに、アメリカ側は「あいつらにはモノをつくらせておいて、俺たちは、その上前をはねればいい」と考えているわけです。だから、日本にはいいものを安く提供しろと、戦勝国の立場から強く言っていました。

そして日本にも、それを受け入れる土壌がありました。三方よしといいますよね。三方よしとは「自分よし」、「相手よし」、「世間よし」で、商売で使われる言葉です。だから、アメリカの言い分も比較的自然に受け入れる傾向がもともとありました。

アメリカが、日本がものづくりに優れているということに改めて気がついたのは朝鮮戦争の時です。アメリカが日本を占領したのち、共産主義との戦いが起こり、朝鮮戦争が始まりました。その時、日本は米軍・国連軍の一大補給基地になりました。そして、アメリカは日本に武器などの修理をさせたり、新しい物資をつくらせたりしている中で、日本の技術力に気がついたのです。

日本は、江戸時代からの伝統的技術と、明治維新からの富国強兵策で、技術のレベルは非常に高いものがありました。だから、アメリカは日本のものづくりを生かして、まずは安いものをつくらせました。特に精緻な製品をつくることは、アメリカ人は必ずしも得意ではありません。ここを日本にやらせたわけです。

そして、安いものをつくらせるということを暫くの間、具現化したのが、1ドル＝360円の固定相場です。いま1ドル＝140円ほどですから、米ドルの価値は3分の1近くに下落しています。即ち、当時は1ドルでいまの3倍近くの製品が買えたのです。

1ドル＝360円で、日本の製品の安さが固定します。そして、アメリカはOEM（相手先ブランド名製造）で日本に製品をつくらせました。こうしたアメリカからの技術移転なども受けながら、独自技術も加味して発展していったのが、パナソニックだったり、ソニーであったりしたわけです。こうして、日本は「いいものを安くつくる国」として、ものづくり奴隷大国になったのです。

奴隷大国を維持するために仕掛けられたプラザ合意

編集部　アメリカにものづくり奴隷大国として育てられたわけですね。

真田　ちなみに、アメリカにとってものづくり奴隷大国が一国だけだと、その一国がアメリカに歯向かってくるかもしれません。そこで、彼らは二つ戦略をとりました。

一つはＯＥＭといっても、核心技術についてはアメリカが握り、そこをブラックボックスにして第三者には見せないようにしました。そうすることによって、日本にキャッチアップ（追い付く）されないようにしたわけです。これが一つです。

二つ目が、競争相手をつくることです。その競争相手をつくるきっかけとなったのが、１９８５年のプラザ合意です。その当時、日本だけが外貨を稼いでいるということで批判がありました。その状況を解消するために人為的に急激な円高にしました。

それによって、日本の製造業が疲弊しました。円高により、海外での日本製品の価格が上がり、競争力が落ちたからです。

その時に、日本以外の競争相手の国をつくるということで、まず、日本企業の生産拠点を韓国、台湾、香港、シンガポールのアジアのＮＩＥＳ（新興工業経済地域）に移転させました。そして、技術を移転させて、それらの地域でものをつくらせることをしたわけです。

日本自らが競争相手をつくることを強いられたといっても過言ではありません。

編集部　当時、安い労働力を求めて、海外進出する日本企業が増えたことを覚えています。

真田　当初のアジアのＮＩＥＳだけでなく、直ぐに東南アジアにも進出し、さらに始まった１９９２年の改革開放で、中国が開かれることで、その後は、中国に移転する企業も増えました。

アメリカはものづくり奴隷大国をたくさんつくったのです。

ある時、私は、金融業界で日本のことをよく知るあるアメリカ人が、「我々は鵜飼の鵜匠である。日本をはじめとして、他の国は鵜だ。彼らにものを獲らせて、あと首を絞めて吐き出させる」と話すのを聞きました。

鵜匠（アメリカ）としては鵜が一匹（日本）だけではなかなか獲物は獲れないけれども、鵜がたくさん（NIESや東南アジアの国々と中国）いて競争させれば、いいものをたくさん獲らせる（ものづくり）ことができるということです。こういうことを始めたのが前述のようにプラザ合意の1985年以降です。

その後、産業界の力が強くなって、アジアが大きく成長していくのは1990年代に入ってからです。中国の改革開放が進み、アジアNIESや東南アジアがかなりキャッチアップしてきました。

そこで仕掛けたのがアジア通貨危機です。

金融で実体経済を支配する！　仕組まれたアジア通貨危機

編集部　アジア通貨危機？

真田　アジア通貨危機を仕掛けたのは米英であると当時の現場感覚から、私は確信しています。では、アメリカやイギリスが何をしたかと言うと、為替レートでアジアの国を痛めつけました。

当時、アジアのタイ、インドネシア、韓国は過小資本でした。だから、借金をしているわけです。英米を中心とする、世界有数の国際金融機関から多額の借金をしていました。そして、ドルが基軸通貨ですから、米ドルでファンディングをしていました。

そこで、アメリカとイギリスは、ファンディングしているそれらのアジアの国に対して、借金が巨額となり過ぎた、示されるデータに不信感がある、クローニーキャピタリズム（縁故主義的資本主義）が行き過ぎておりファイナンスがしにくくなった、などと理由をあげて、リファイナンス（借り換え）を敢えて行いませんでした。リファイナンスをしないと、各国はほかの方法でお金を調達しなければならなくなります。しかし、アメリカとイギリスの主要金融機関が貸し出しをしていない状況なので、他の金融機関も怖くて貸し出しをしません。

これでアジア各国にディフォルト（債務不履行）の危機が起きます。アメリカとイギリスは、そういうディフォルト危機を意図的につくっておいて、これを背景にしてアジアの通貨を売りまくりました。当然、そうなるとアジア各国の為替ルートが一気に下落します。タイバーツ安やインドネシアルピア安や韓国ウォン安になりました。
これまで、これらの国々は自国で儲けた分をドルに換えて、返済に充てていました。しかし、自国が通貨安になると、返済すべきドルが多くなってしまいます。例えば通貨安になって、価値がドルの3分の1になれば、3倍の自国通貨が必要になるわけです。3倍も稼がなければならなくなります。
これが短期間で起きた場合、一気に3倍も稼ぐことはできず、借金も返済することができなくなります。だから、ディフォルトになったのです。

編集部　アメリカとイギリスがアジア通貨危機を起こしたのですね。

真田　そしてディフォルトが起きた3カ国に対しては、ＩＭＦ（国際通貨基金）から管財人が送り込まれ、それらの国をアメリカナイズしていきました。これが、アメリカのやり方で、ここからアメリカの国際金融資本絶対主義が定着してくるのです。

それが今日に至っています。米ドル基軸で世界が回るようになりました。そして、世界経済の中心が金融になって、金融が主で、実体経済が従、というかたちがつくられたのです。これが、戦後の歴史の大きな流れです。

アメリカは、金融を握って、ものづくり大国が言うことを聞くときは、そのまま泳がせておいて、言うことを聞かなくなると時々キュ、キュと首を絞めて、コラッと脅しながら、言うことを聞かせるということをしてきたわけです。そして、自分たちは汗水流さず、美味しい汁を吸ってきました。

ただし、コアな技術や、製薬や軍事産業は手放しません。そこを手放すと、支配している国々に牙をむかれる危険性も出る、それが怖いので、そこだけは自分たちでします。

しかし、例えば歯ブラシとか、洋服とか、所謂、単純な生活必需品などをアメリカは自らつくりません。手先があまり器用でもないので、そのようなものをつくるのも苦手です。それらはアジアの国々につくらせるわけです。そして、それらの国をものづくり奴隷大国にしていったというわけです。

世界のお金の動きをモニタリングするアメリカ

真田　現在、ドルが世界のモノやサービスの経済的な価値判断基準ですから、各国の取引の決済はドルになります。ドル決済ですから、金融機関はドルが余っていれば運用に回して、足りなければ、ドルを調達しなければなりません。

そのようなシステムの中で、ドルの運用や調達を最もしやすいマーケットはどこにあるのかというと、もちろん、米ドルが一番たくさんあるところですよね。すなわち、アメリカ市場になります。こうして、基軸通貨・米ドルでグローバル決済をしなければならない金融機関は原則としてアメリカに決済口座を持ちます。

そして、世界の名だたる各金融機関はドルの巨額な資金を米国内に持つことになります。そして、それはアメリカの法治下に入ります。アメリカの法治下に入った決済口座は、アメリカがモニタリングしようとすればできるのです。

例えば、日本人の真田が韓国人のキムさんからキムチ１ｔを１００万円相当で買いました、ということが、決済勘定での決済通知を通して、アメリカにはすべてわかります。なぜ、日本と韓国の取引がわかるかと言うと、日本の真田が、例えば三菱UFJ銀行から韓国の銀行のKDB（政府系の韓国産業銀行）に送金する、するとこれら銀行間の決済は、ニューヨークにある三菱UFJ銀行の米ドル口座から、同じくニューヨークにあるKDBの米ドル口座に、上述した決済通知に従って資金移動を行うことになるからです。

それが確認されると、最終的には韓国の国内で支払われるのです。こうして、米国は米国にいながら、日本人の真田と韓国人のキムさんがどんな取引をしているのか、どんな条件でしたのか、などすべての内容がわかります。

編集部　お金の動きだけでなく、商品もわかるのですか？

真田　わかります。金額や商品、取引日等、すべてデータとして登録されています。例えばL／C（信用状）やB／L（船荷証券）などをもとにしていれば、すべてがそれには書かれています。同じような取引は多いですから、間違えないように、商品内容も、免税商品なのかも含めて事細かに書かれています。それを銀行がチェックして口座取引をしていますから、主要な情報は明らかになります。

そして、それらの情報をアメリカの政府や金融界はチェックしながら、世界の動向を探っています。アメリカのニューヨークの口座を通る取引は世界の6割強といわれていますから、それらをモニタリングすれば、世界の大まかな動向はわかります。

ちなみにモニタリングを下請けでやっているところが、シカゴ大学などです。

アメリカはモニタリングして、世界の金融機関を支配する

編集部　シカゴ大学ですか？

真田　シカゴは金融に強いといわれます。世界的な商品取引所もあります。そういう情報を持ってビジネスをしていくわけです。どこでどういう動きがあるのかを、金融面からしっかりとモニタリングして、その情報を政府や金融界に必要に応じて流すこともします。政府や金融界は、それらをもとに国際戦略を立てることが可能となります。

そして、そのモニタリングを大学等にやらせているので、金融機関からはわかりません。情報は隠されているのです。

それだけではありません。情報の中から、例えば、真田とキムさんの取引後に資金移動におかしな点があれば、すぐに詳細を確認し、例えばキムさんはスパイで北朝鮮に金を流しているぞ、ということがわかると、キムさんを逮捕しに行くことができます。

さらに、アメリカにいながら、マネーロンダリングや制裁対象国との取引もわかります。それらに関与している金融機関があれば、罰金を科します。もし、それに従わなければ、口座を止めてグローバル決済ができないようにするのです。実際、三菱東京ＵＦＪ銀行（当時）は、２０１３年と14年にアメリカの制裁対象国（イランやミャンマー）に絡む取引が明らかになり、不本意にも罰金を支払っています。もし、罰金を支払わなければ、三菱東京ＵＦＪ銀行はグローバルな決済ができなくなるからです。

このように、金融で、みんなの首根っこを絞めて、汗もかかずに大儲けをし、覇権国家の地位に座ってきたのがアメリカです。

二つの世界大戦で大儲けをしたアメリカ

編集部　なぜ、そこまでアメリカのドルは強くなったのでしょうか。

真田　もともとアメリカは歴史も浅く、中央銀行が発行する法定通貨・米ドルは、最初のころは、あまり信用されず、存在価値が高くはありませんでした。

また、アメリカの初期のころは、ヨーロッパから様々なものを購入し、ヨーロッパに対して多額の負債を抱えていました。それが大きく転換するのが第一次世界大戦です。

第一次世界大戦ではアメリカは戦場にならないだけでなく、中立国でもありました。だからイギリスサイドにもドイツサイドにもアメリカ製品を売れるポジションにいたのです。ただし、ドイツはイギリスに比べて遠く、海上封鎖もかなり厳しくされていましたから、なかなかモノを売ることができませんでしたが、立場的には両方に売ることができました。

供給しました。そして、上述した負債を帳消しにしてもらったのです。それだけでなく、第一次世界大戦に負けて賠償金を抱えたドイツに対して、金を貸して返済で利子をもらい、ドイツでのビジネスも拡大して利益を上げることができました。

これによって、アメリカはドルを上手に使いながら、相手国にお金を貸し付けて儲ける方法があることを学んだのです。そして、第二次世界大戦が始まります。そこでも、アメリカは真珠湾を少し攻撃されましたが、ほぼ無傷でした。

一方、ヨーロッパはロンドンまで空爆されましたから、各地が徹底的に破壊されたのです。ここでアメリカは、第一次世界大戦同様、ヨーロッパに製品を輸出して儲けます。

アメリカは二度の戦争で、自分のところで戦争しなければ儲かるということを経験しました。戦争で儲かるのは軍需産業だけでなく、アメリカの産業全体が儲かるということも学んだのです。さらに、戦争で破壊された国々に資金を貸し付けて復興をさせながら利益を上げる方法も取得しました。

そして、アメリカは、戦争で欧州に提供した物資の支払いを受けるのですが、ヨーロッパにはお金はありません。そこで、アメリカは大航海時代からヨーロッパがため込んできた金＝GOLDで支払いをさせたのです。戦争で疲弊しているイギリスやフランスなどの国々の紙幣をもらっても、いつ価値が下がるかわかりません。安心なのは金＝GOLDです。こうして、ニューヨークに金＝GOLDがたまるようになりました。

その金＝GOLDを担保に戦後、アメリカが開始したのが直近の金本位制です。

ロシアを挑発してウクライナ紛争を起こさせたのは米英

真田　その後、金本位制から変動相場制になり、アメリカの金融支配は強まりますが、最近になり揺らぎ始めているように映ります。

アメリカは、この間、アジア諸国をものづくり奴隷大国にしてきましたが、その中で、ものづくり奴隷大国と思ってきた中国が反旗を翻したのです。これはアメリカにとって大きな誤算でした。そして、米中覇権争いが起こりました。

アメリカが最も懸念したのが、総合的な国力の増強が著しい中国と軍事力が強いロシアが結託することです。アメリカにとって非常に大きな脅威になりかねません。

私は、ウクライナ戦争は、英米がロシアを挑発して起こさせたと考えています。中ロが結託してアメリカに向かってくることがないように、軍事大国のロシアを先ずは叩いておくために起こしたのだと思います。

もちろん、アメリカも中露関係が決して良好であるとは考えていなかったようです。しかし、敵の敵は味方（Frenemy=Friend and Enemyの造語）的に、米国を意識して結託してくる危険性を回避したのでしょう。

アメリカのバイデン政権になってから特に、バイデンの息子のハンター・バイデンが武器を世界各所に売却していたと見られています。ウクライナに対しても武器は売却されていたと見られていますが、バイデンも賢いので直接アメリカからウクライナには売らないで、第三国経由で売っていたようです。その第三国の一つはトルコだと思います。また、売却されていた武器の一つは軍事ドローンでしょう。トルコがあれほどの量と機能を持つドローンをつくる能力はないと思います。

2021年に入って、アメリカなどがウクライナに武器を売ることで、ウクライナとロシアの軍事的バランスが崩れました。そして、ウクライナが、相対的に軍事的優位に立つのではないかとロシアは憂慮したのです。

そして、そのときに親露派の人々がドローンで殺されました。だから、プーチンから言わせれば、最初戦争を仕掛けたのはウクライナだ、ということです。

ところで当初、私たちのように金融界にいる者は、ロシアは戦争しないだろうと考えていました。それは、ロシアには戦争をするに足る十分なお金がないと見ていたからです。だから、アメリカの挑発には乗らないだろうとも思っていましたが、それ以上にロシアのプーチンの危機感は強かったのでしょう。

プーチンは、このまま軍事バランスが崩れて、親露派も潰されたら、いずれロシアに攻め込まれ、クリミアも取り戻されると考えたのだと思います。

そして、ロシアはウクライナに侵攻しました。

米英のルールに従っていたプーチン

真田　それを見てアメリカとイギリスは、「しめた」と思ったと思います。ロシアの首を金融で絞めようとしました。まず、ロシアの資産を凍結しました。そして、国際決済システムであるスイフト（SWIFT）を使わせないと決めました。グローバル決済をできないようにしたのです。

これに対してロシアのプーチンは非常に怒りました。なぜかというと、プーチン大統領は2000年に登場しましたが、その2年前、1998年にロシア金融危機がありました。ロシアの経済は非常に混乱し、多くの金持ちがロシアから逃げ出しました。ユダヤ系のロシア人の多くはイスラエルに逃げ出しました。

それを見たプーチンは、ロシアをもう一度、覇権国家にふさわしいロシアにしたいということで大統領になったのです。

そのプーチンは今日まで、ビジネスは英語でやりなさい、決済は米ドルでしなさい、契約などの法律は英米法でしなさい、さらに軍事産業は違いますが民需用のものづくりはISO（国際標準化機構）でつくりなさい、そして、ロシアの民間企業の決算は英米の会計法でしなさいと、英米のスタンダードでロシア経済を強くしようとしてきたのです。

だから、プーチンからしてみれば、「おれは英米のスタンダードにきちんと従って、これまで動いてきた。中国は英米のスタンダードと違うことをしているかもしれないけれど、おれのロシアはそうではない。なのに、何故ロシアをいじめるのか」と、いうことです。だから、プーチンは怒りました。

しかし、それでも米ドル経済圏からルーブルははじき出されるわけです。そして、ルーブルの価値が直ぐにストーンと落ちました。

これに本当に怒ったのがプーチンです。そして、ロシアからものを買うときはルーブルで買ってくださいとロシアの輸出相手国・輸出相手先に対して言い出したのです。これを言い出したのが日本で円だったら、アメリカはまったく怖くありません。しかし、ロシアのルーブルは違います。

覇権国家としての要素を持つロシア

編集部　それはなぜですか？

真田　それは、ロシアが、人々が生きていくのに必要な、食料、原材料（資源）、エネルギー、物流の大切な部分を握っているからです。

食料については、小麦、トウモロコシ、食用油が十分できます。原材料では、ニッケル、白金、金、ダイヤモンドなどがあります。ダイヤモンドはかなり産出します。ちなみにダイヤモンドはロシアで加工はしません。ダイヤモンドはインドのチェンナイに搬出されます。そして、チェンナイで加工させて世界に流しています。

特に、ロシアが産出する原材料の中で大切なのが、工業用ガスの原料です。これは半導体にも使います。現在、熊本にTSMCの工場が誘致され、工場建設が始まっていますが、その工場で比較的早期に建設開始されたのが、これらの工業用ガスを保存するタンクです。

その工業用ガスの産出地がいま戦争しているロシアとウクライナにまたがった土地なのです。だから、ロシアでは、こう言われています。

「いま米中で半導体を巡る覇権争いをしているようだけれど、おれたちが工業用ガスを出さなかったらどうするんだろうな」と。やはり実体経済を握っている国は強いのです。

エネルギーに関しては、ロシアは世界第2位の石油産出国で、世界第2位の天然ガスの産出国です。

そして、物流です。ロシアの北側には北極海があります。その北極海ですが、現在温暖化なので、氷が溶けだしています。北極海には航路をつくる計画が以前からあったのですが、いま、一気に進めようとしています。

北極海の航路ができるとヨーロッパからベーリング海峡を通って、アメリカ、アジアに非常に短距離で行くことができます。非常にいい物流ルートです。この計画に飛びついているのが、中国と韓国です。この二つの国は造船大国であり海運大国だからです。

ロシアは、人が生きていくのに必要な、食料、原材料、エネルギー、そして物流を持っています。だからこそ、それに裏付けられたルーブルは、アメリカにとって、非常に手ごわい相手なのです。

米英の思惑に反して広がるルーブル

真田　今回のウクライナ紛争による金融制裁で、ロシアはルーブルで他国と決済をせざるを得なくなりましたが、ロシアと貿易をしている国は、最近になりルーブルで支払いを開始しています。人間が生きていくために必要なものをロシアから買っている国は、たとえロシアが嫌いであってもロシアとの貿易をやめることはできません。

そのロシアがルーブル建て決済を条件に交易すると言っているのですから、現在、ルーブル建て決済は徐々に増え、この結果、ルーブルが世界では徐々に強くなっています。ロシアがスイフトから追い出された直後、ルーブルは下落しました。当然です。ドルに対して30%ほどのルーブル安になりました。しかし、現在、基軸通貨・米ドルに対して、逆にルーブル高に転じています。

ロシアと貿易をしなければやっていけない国が、世界で50カ国くらいあると見られています。現在、国連に加盟している国が200ヵ国くらいありますが、その4分の1が、ロシアが嫌いであっても取引をせざるを得ない国なのです。

ただし、ロシアはいままでドルで決済してきましたから、ロシアと取引してきた国々はルーブルを基本的には持っていません。だから、マーケットからルーブルを調達します。そのため、ルーブルの価値が上がっているのです。

例えば、インドは天然ガスをロシアから輸入しています。そしていま、インドの天然ガス輸入に関するグローバル決済の約25%はルーブル建て決済となっていると見られています。こうしたことから、ドルの決済比率は下がり、ルーブルの決済比率は上がります。よって、ここにもルーブルのドルに対する価値の上昇が見られる背景があるのです。

これは、アメリカにとって、誤算であり痛手です。アメリカは金融で締めつければ、ロシアが白旗を掲げると思っていました。それが、逆に反撃にあっています。それも軍事面ではなくて、金融面で起こっていることが、アメリには大きな誤算なのです。

そして、金融面での反撃を受けているということは、アメリカが軍事力と共に最も大切にしていると見られるドル基軸が崩れる可能性を持っているということです。

中国の台頭で世界は3極体制に

真田 一方、中国です。中国では習近平が異例の3期目に突入しました。それでも、まだ習近平は人民解放軍を完全には抑えきれていないと見ていますが、文民のほうはほぼ掌握していると思われます。江沢民は亡くなりましたし、胡錦濤も共産党大会で退場させています。

現在、中国からすれば、アメリカもイギリスもロシアも力が弱っていると見えます。だから、習近平に対して不満を持っている連中も、いまは習近平に従っておいて、まず、中国が世界の覇権を取ることを考えています。だから、いまは、中国内に、対立があっても一枚岩になっていると、私は見ています。

そして、世界の覇権を取るために、中国は力の弱い国に対しては人民元でグローバル決済を求めるようになると思います。世界の製造業製品の約30％はメイド・イン・チャイナと言われていますから、中国製品を買わざるを得ない国には、ロシアのやり方を見ながら、人民元の決済を求めるようになる可能性が十分にあります。

そうなると、ルーブルだけでなく人民元の決済比率も上がるようになります。そして、瞬間的にはルーブル、人民元、米ドルの3極体制になる可能性もあります。

編集部　しかし、中国はロシアやアメリカと違って、人民を養うだけの水も食料も、資源もエネルギーもないと思われますので、その点では覇権国家として君臨するのは難しいのではないでしょうか。

真田　それは中国自身が感じていると思います。だからこそ、中国は実体経済に必要な物資を持つ国々を、朝貢貿易をさせるようなかたちで取り込もうとしています。

具体的に言えば、南太平洋です。ここは海洋資源の宝庫です。帝国日本軍がこの南太平洋まで攻めていったのは、豊富な資源が狙いだったはずです。

ちなみにフランスはドムトム（DOMTOM）という海外県、海外領土を持っていますが、その主要な地域は南太平洋にあります。ここを、大航海時代に獲得、それ以降、フランスが手放していないのは、資源、エネルギーがあるからです。

そして、その南太平洋ですが、中国を拒否している国はフィジーくらいしかありません。ほかの国の多くは中国に取り込まれています。

中国は、そのような国から資源を朝貢させようとしています。もちろん、軍事基地をつくる可能性も十分にあります。他には、アメリカの喉元の南アメリカです。すでに中国の軍門に下ったと見られている国はベネズエラ、ペルーです。チリもそうかもしれません。

ベネズエラは石油がとれます。ペルーとチリはアンデス山脈の鉱物資源がたくさんあるところです。そして、コロンビアです。コロンビアはこれまではどちらかと言えばアメリカ寄りと見られていましたが、2022年8月に政権が変わり左派政権が誕生しました。中国は、そのコロンビアにすぐに飛んでいきました。

このように中国は、南アメリカの西側に帯のように連なる国々を、政治的にも実体経済的にも中国を支える朝貢国につくりかえようとしているのです。

それぱかりではありません。ほかにも、東南アジア、インドを除く南アジア、中東のイラン、アフリカのジブチやケニアもあります。

中国は世界各国に拠点をつくり中国の製品を輸出し、同時に中国の実体経済を支える物資を朝貢させ、中国の足元を固めるとともに、その決済は人民元でやってほしいとなっているのです。

世界は3極体制から、2極体制になる可能性が……

真田　さらに、今後の展開としては、ドルとルーブルと元の3極体制の可能性だけではなく、ルーブルと人民元が一時結託する可能性もあります。ロシアと中国は、仲は良くないのですが、敵の敵は味方で手を組むのです。そうなると、ドル経済圏とルーブル・人民元経済圏の二つが共存する事態になるかもしれません。

中国にはデジタル人民元もあります。

ここで注意が必要ですが、デジタル通貨は仮想通貨とは違います。デジタル通貨は法定通貨をチャージしているものです。主たる仮想通貨では法定通貨はチャージされていません。ビットコインなどは個人会社がつくっている通貨を入れているだけです。

だから、今後はデジタル通貨に米ドルをチャージするか、人民元をチャージするかが争われることとなりましょうが、現在、アメリカ、イギリス、スイスはデジタル通貨に基本的に反対です。日本もそうだと思いますが、金融界は絶対反対です。世界の金融界は基本的には絶対反対です。

なぜかといえば、例えば、取引をしようとする2社がデジタル決済をすると、銀行口座を使わずに、手元にある通信機器で決済ができてしまうからです。

銀行の大切な機能は、信用創造機能と共に決済機能です。デジタル通貨を使われると、この決済機能が基本的には使われなくなり、その結果として銀行の力は弱くなってしまいます。さらに、口座を使って決済をしないので、上述したようなモニタリングもできなくなります。

だから、アメリカは基本的に反対ですが、もし、どうしてもやるのであれば、米ドルがチャージされたデジタル通貨、デジタルドルでないといけません。しかし、そうなるとアメリカの金融業界の力を弱めてしまうので、なるべく先延ばしして実施しようとしています。

しかし、中国がデジタル通貨を積極的に進めているので、アメリカやイギリスはどうするか焦っている状況です。だから、いまイギリスはインドにインドルピアを使ったデジタル通貨の実験をやらせています。まだまだ、実験段階ですが、それがうまくいけば、デジタルポンドやデジタルドルが動き始める可能性も出てきましょう。

日本は鎖国しても生き残れる国になるべき

編集部　そのような3極体制、あるいは2極体制になったときに、日本はどうすればいいのでしょうか。

真田　まず、日本はいざというときのために、鎖国しても生きていける体制をつくるべきだと思います。世界がどんな体制になろうとも、日本の1億2000万人が、日本の資源だけで生き抜いていける環境を完備しなければいけません。世界が戦争を始めても自国民は生き抜ける体制が必要です。

日本の場合、水は何とかなります。食料は、主食の米は何とかなると思いますが、ほかは自給率を高める方向に体制を転換しなければならないでしょう。原材料も日本にある資源で代替品ができるように技術を開発する必要があります。

いま、砂から鉄を作る技術開発が進んでいますが、そのような技術を日本はヒト、モノ、カネをそそぎこんで開発し、新しい産業をつくっていく必要があります。

エネルギーも一緒です。産官学金（金融）が力を合わせて、日本にあるもので、できるエネルギーを、知恵を絞って開発していく、これが大切だと思います。究極のSDGsです。

先ほどの原材料もそうですが、そのようなものが開発できれば、それを、日本と同じようにエネルギーのない国に適正利潤をとって売ることができます。世界には、そのような国がたくさんあります。

そのためにもまず日本が自国だけで生き抜ける体制をつくるために政策を大きく変

える必要があると思います。

　だからといって、鎖国を目的にするのではなくて、共に生きていこうという国とは交流し、その国々が必要なモノとサービスを提供していくということが大切です。そして、そのようなモノとサービスの量と価格を安定的に供給できる体制をつくるのです。

　そうなれば、世界は日本を必要とします。

日本が開発すべきは、核心部品、製造装置、新素材、メンテナンス

真田　では、そのようなモノとサービスとは何か。先ずそれは核心部品です。欠かせない部品です。それをつくり出せる能力を日本の中小企業はいくらでも持っています。

　そして、高度な製造装置をつくっていく。大量生産用の製造装置だけでなく、量産試作用の製造装置も開発していく。例えば日本の半導体の高度な製造装置がなくては、韓国や台湾などの半導体はできません。日本には、そのような力があります。

　三つ目が新素材の開発です。新素材開発の種は日本に多くあります。これを進めるために新素材開発のコンテストを開くのです。基準を決めて募集し、客観的に判断で

きる専門家を集めて審査し、これはという案件には集中的に投資していくのです。

このような核心部品、高度な製造装置、高度な新素材の開発に、日本政府はヒト、モノ、カネを集中的に投資し成長を促していくべきです。

日本には、そのような成長の芽がたくさんあります。しかし、それらの芽は市場を奪われる危険性を感じた大企業などに潰されるケースも散見されます。それも、ファイナンスの面から潰しにかかることもあるのです。

開発の芽を持っている人たちというのはベンチャーですから、あまり余裕資金はありません。だから開発が続かないのです。そういう人たちは、お金を出してくれる外国に飛び出していってしまいます。それを狙って中国や韓国が金を出すのです。それは、今後、絶対に防ぐべきです。

ほかには、グローバルメンテナンスがあります。メンテナンスは一度に大きなお金になりにくいのです。だから、海外の資本はあまり手を出したがりません。だからこそ、日本が乗り出すのです。グローバルで行えばお金になります。

編集部　そういう時の日本の金融は、どうすればいいのでしょうか。

真田　それは、その時々の基軸通貨に紐づけられればいいのです。日本は金融に覇権を意識する形で手を出してはいけません。金融は幻です。金儲けとは結果的に金儲けになるのであって、実体経済を回していくうちに裕福になる国を目指すべきなのです。金融資産で金持ちになっても、一気に金融資産はなくなります。金融資産はマーケット価格で決まりますから変動します。株式であれば、今日100億円の株を持っていても、その会社が潰れてしまえば、ゼロ円です。だからこそ、実体経済で金持ちになる国を目指すべきなのです。

防衛費増額だけでは、アメリカが儲かるだけ

真田　そして、最後に述べておきたいのは現在の軍事力増強の動きです。確かにロシアや中国の脅威、また北朝鮮の脅威もあります。だから、それに備えるべきというのは間違いありません。必要だと思います。そしていま、クアッド（QUAD＝日米豪印首脳会合）をNATOのようにすべきであるといわれています。

しかし、日本をNATOと同じようなクアッドのメンバーとするためには、憲法改正をせざるを得ません。NATOは加盟国が攻撃されたら他の国は共同して反撃しなければなりません。クアッドもそうするのではあれば、いまの自衛隊法では自衛隊は即時軍事対応ができません。

対応するには憲法を改正せざるを得ないのです。ですから、岸田文雄政権は憲法の改正に突き進むしかありません。憲法改正ができるかどうかは国民の審判ですから、わかりませんが、進めようとするのは間違いないでしょう。

なおかつ防衛費がGDP2％というのもNATOと同じ基準です。ですから、2％にするというのはわかります。

しかし、防衛費を増やすということは、いまの議論のままで進めば、結局武器を買うということになりましょう。その武器をどこから買うのでしょうか。アメリカです。結局、アメリカが儲かることになるのです。アメリカの金儲けのための防衛費2％と言っても過言ではないかもしれません。

もし、日本が戦争になっても、北朝鮮で大陸弾道弾ミサイルが完成し、アメリカに直接火の粉が降りかかる状況にならないかぎり、アメリカが見て見ぬふりをする危険性は否定できません。ウクライナ紛争と同じです。それどころか、彼らは導火線に火をつけるかもしれません。

アメリカは金儲けのためならやりかねないのです。

それに、日本が防衛力を増強すれば、中国、北朝鮮、ロシア、そして一応の同盟国である韓国も黙っていません。彼らも増強するでしょう。そうなるとイタチごっこです。そして、エンドレスになって、最後に勝つのは国力のある国です。

いまの日本は、国力が弱っています。特に財政的には弱っています。ほかの国に勝てるだけの国力はありません。特に中国には負けるでしょう。

本当の抑止力を日本は検討すべき

真田　だから、武器買うことありきの国防力強化には、私は反対です。しかし、現実的な脅威の前にどうするのだ、ということになります。
私は、以前アメリカの共和党が言っていたアイディアを採用したらどうかと考えています。

それは、尖閣あたりの東シナ海に原子力潜水艦を常駐させるのです。原子力空母でも構いません。そして、そこから同時に3発の核ミサイルが発射できるようにします。原子力潜水艦は日本が開発してもいいですし、アメリカがそれを許さないということであれば、アメリカから借りればいいと思います。

その開発費や、借りる場合は賃料を国防費から払えばいいのです。もちろん、ランニングコストも払います。

私はそれだけでいいと思います。ただし、常駐するだけではだめで、習近平、プーチン、金正恩の居場所を常時探り出し、その場所を世界に発信し続けるのです。お前たちの居場所はわかっていて、そこに核ミサイルをぶち込む用意があるのだということを示すわけです。

これが抑止力になります。核ミサイルですから、ピンポイントで当たる必要はありません。では、居場所はどう見つけるのか。ここはアメリカと共同して対応します。アメリカは、習近平らの居場所を見つける能力にたけていますから。

これでいけば、防衛費はかなり抑えることができると思います。

しかし、アメリカのバイデン政権は軍事産業と力を合わせているので、商売したいのです。だから、結局、日本に武器を買わせるでしょう。これでは、単にアメリカに儲けさせるだけです。

私の祖先の真田昌幸は、「戦争するなら勝ちなさい」と言いました。これは当たり前です。しかし、その一方で「戦争をするな」とも言っていました。なぜかといえば、戦争をすると味方にも必ず死者が出ます。そうなると、悲しむ者たちが出てきます。ただ、悲しむだけだったら、まだいいのです。悲しむ者たちの中には、恨んで真田を攻撃してくるものも出てくることがあります。そうなると仲間割れです。そうならないためには、戦争をしないことが一番いいのです。平和は貴重なのです。

（文責／編集部）

真田幸光（さなだ・ゆきみつ）

1957年東京都生まれ。慶応義塾大学法学部政治学科卒業後、東京銀行（現・三菱UFJ銀行）入行。95年、韓国延世大学留学後、ソウル支店、名古屋支店等を経て、2002年より、愛知淑徳大学ビジネス・コミュニケーション学部教授。社会基盤研究所、日本格付研究所、国際通貨研究所などの各客員研究員。主な著書に『世界の富の99%はハプスブルク家と英国王室が握っている』『ドル崩壊、アジア戦争も探る英国王室とハプスブルク家』（ともに宝島社新書）などがある。

第1章

金融の陰謀を知るための用語

（文／編集部）

【アジア通貨危機】（あじあつうかきき　１９９７年7月より始まったアジア各国の急激な通貨下落のこと）

通貨下落は、アメリカとイギリスのヘッジファンドを中心と主とした、機関投資家による通貨の空売りに惹起されたものであることはわかっている。そのからくりは真田氏のインタビューで詳しく説明（19頁）しているので、ここではその後の影響について説明しておこう。

通貨下落の大きな打撃を受けたのは、タイ・インドネシア・韓国で、ＩＭＦ（国際通貨基金）の管理に入った。これらの国は、それまで地元資本が経済を握っていたが、ＩＭＦの管理を受けることでグローバルな（米英）資本に経済を奪われてしまった。そして、マレーシア・フィリピン・香港もある程度の影響を受けている。

一方、中国大陸と台湾、日本に直接の影響はなかったものの、前述の国々から間接的な影響を受けた。特に日本はアメリカやイギリスの銀行が、韓国へのファイナンスをストップしたのち、最後になって資金調達を止めたため、韓国からは逆恨みを受けることになってしまった。

【FRB】（エフ・アール・ビー Federal Reserve Board アメリカの連邦準備制度理事会）

アメリカ合衆国の中央銀行制度であり、ワシントンD.C.に連邦準備制度理事会がおかれている。日本の中央銀行である日本銀行のトップ株主は日本政府であり、55％の株を持っている。しかし、アメリカの中央銀行であるFRBを構成する銀行（連邦準備銀行＝Federal Reserve Bank）の株をアメリカ政府は所有していない（所有を禁止されている）。所有しているのは各金融機関だ。

FRB（連邦準備制度理事会）自体はアメリカ政府の機関であり、全国の主要都市にある連邦準備銀行（Federal Reserve Bank, FRB）を統括している。しかし、政府から予算の割当や人事の干渉を受けない。

連邦準備理事会は、７名の理事から構成されていて、この理事会が開く金融政策の最高意思決定機関に連邦公開市場委員会（ＦＯＭＣ）がある。これは、理事７名と地区ごとの連邦準備銀行の総裁５名で構成されていて、米国の金融政策やＦＦレート（銀行間の貸出金利）の誘導目標を決定している。

これはどういう意味を持つかというと、アメリカの金融政策は、制度的にも金融機関が決めているということだ。日本でいえば、日本の金融政策を三菱ＵＦＪ銀行が決めていることと同じである。

実際、日本も各銀行の意見を反映して金融政策を決めるであろうが、制度的には一応、政府が決めるとなっている。

しかし、アメリカの金融政策は制度的にも、あからさまに民間が決めるとなっている。ＦＲＢの議長はジェローム・パウエル。もとはプラベート投資ファンドの共同経営者であった。

まさに、私企業による金融政策がアメリカの基本であり、それによって、世界の金融が支配されているのだ。

【基軸通貨】（きじくつうか　国際通貨制度の基軸となる通貨、現在は米ドル）

現在の基軸通貨は米ドルである。基軸通貨となると非常においしい思いができる。基軸通貨の国が持つ決済機能の美味しいところは後述するが、それ以外の利点を説明しよう。

まず、為替リスクが少ないこと。各国がドル決済をすれば、アメリカのドルはどこでも使えるから、為替リスクはほとんど起きない。

二つ目がいくらでもお金を生みだせること。ドル紙幣をいくらで刷ることができるので、いくらでもお金が調達できる。

しかし、刷り続ければ、ハイパーインフレが起きてしまうので、アメリカは、それを担保するために国債を発行して、世界各国からお金を調達した。これも基軸通貨という信用があるからできることだ。

そして、最も大きな利点は先ほど書いた決済機能である。これについては56頁で触れる。さらに真田氏もインタビューでも答えているので読んでほしい。

ちなみに、現在、アメリカの米ドルの信用がかなり落ちてきていて、ロシアのルーブル、中国の元が力を持ち始めている。世界の基盤が揺らぎつつあるのだ。これも真田氏のインタビュー（35頁）を参考してほしい。

【金融の自由化】

（**きんゆうのじゆうか**　金融機関への規制を緩和し、銀行や証券会社などの業務が自由に行えるようにすること）

１９８０年代、イギリスのサッチャー政権下で行われた金融自由化「ビッグバン」をモデルに、日本でも１９９６年から２００１年にかけて本格的に行われた金融制度の改革のこと。政府によって管理されている金利、業務分野、金融商品など、金融制度にかかわる規制を大幅に緩和し、撤廃を実現した。

銀行、証券、保険などの垣根をなくし、「フェア」「フリー」「グローバル」の３原則のもと行われ、東京市場をニューヨークやロンドンのような国際市場に変えた。しかし、これは外国資本が日本に参入する窓口を大きく開くものでしかなかった。この改革を進めるために、桎梏になっていた大蔵省（現財務省）の金融政策部門を切り離すため、大蔵省バッシングが繰り広げられた。まさに陰謀中の陰謀であった。

そして、2007年には日本の金融市場の競争力を一層強化するための「金融・資本市場競争力強化プラン」を金融庁（大蔵省から独立した部門）が公表し、金融商品の多様化や規制緩和が進んだ。

金利の自由化や、金融機関の業務分野規制の緩和、国内外の資本取引の自由化などが実現されたが、それによって、日本人が持っていた1200兆円の資産が切り売りされることになったのだ。

そして、元本保証のない商品が増え、自己責任の名のもとに、金融資産を運用して破産する人も増えるようになってしまった。

【決済機能】（けっさいきのう　銀行の持つ二つの柱の一つ）

基軸通貨の持つ〝美味しいところ〟に決済機能がある。国際的な取引の場合、多くの決済は基軸通貨であるドルで行われる。

そして、その決済の場所はアメリカの銀行だ。

そのため、アメリカの銀行は、決済による手数料を手に入れることができる。これはバカにならない額だ。世界の取引の60％はアメリカの銀行を通して行われる。

さらに、それらの取引の情報を手に入れることができる。世界の取引で何が増えているのか、どこが増えているのか、等々の情報で、アメリカの金融業界は、今後の世界戦略を考えることができる。

そして、決済機能を握ることで、世界各国の銀行の首根っこを抑えつけることができる。もしある銀行が、アメリカの金融政策に違反することがあれば、国際間取引の決済を拒むことができるのだ。

そして、これが国家間の取引きだと、ロシアのように国際間取引の決済を拒まれた場合、輸入によって食料などを買い入れている日本はひとたまりもない。決済ができないということは、貿易ができないことを意味する。食料自給率が38％の日本は生き残っていけない。

【シカゴ大学】（しかごだいがく　University of Chicago　シカゴにある研究型私立大学）

日本ではあまり知られていないシカゴ大学。しかし、アメリカで非常に権威のある大学だ。設立したのはスダンダード・オイル社を創設したジョン・ロックフェラーである。彼が、1890年に膨大な資金を提供してつくった。

シカゴ大学は設立当初から研究に重点が置かれ、ノーベル賞受賞者を100名も輩出しており、世界で最も評価が高い大学の一つである。特に経済学の分野では、同校の卒業生や教員を中心とした「シカゴ学派」が、しばしば政策立案や遂行に登用されている。

このシカゴ大学が銀行の決済機能で手に入れた情報を分析しているといわれる。そもそも、原子爆弾を開発したマンハッタン計画でも、この大学の化学者がかかわっていた。プルトニウムを研究し、核反応の実験にも成功している。

さらに、ベトナム戦争の枯葉剤もシカゴ大学の発明だ。アメリカの軍事産業と結びついたシカゴ大学は、金融業界とも密接に結びついているのだろう。

【日本的経営】（にほんてきけいえい　終身雇用、年功序列、持ち株制度など）

ここ、数十年にわたって、日本的経営の良心的部分であった終身雇用、年功序列は、能力のある若者のやる気をそぐものとして否定された。そして人材派遣業が隆盛をほこり、現在、日本人の給料は、ここ30年間、ほとんど上がっていない。終身雇用、年功序列は、社員の給与を保証するものだった。

それが日本的経営の弊害ということで否定されてしまった。まさしく陰謀だろう。年功序列は能力のある若者のやる気をそぐというが、その否定は、新人に対して、ベテランに対して、より高い能力を求め続けるということだ。それでは、新人にもベテランにも過労をしいることになる。

そして、余裕のない業界は、能力のないベテランを切る理由にもなった。また、能力主義の言葉のもと、能力のない新人を雇うこともしないし、新人教育に投資をしなくなっている。

株式持ち合い制度も、日本の取引会社同士が株を持ち合うことによって安定的経営を補完していたし、外国資本から会社を守る防波堤でもあった。しかし、バブルの崩壊以降、株価が暴落し、企業の会計基準を英米型に合わせることで、株の資産計上が取得価格から時価に変わり、不良債権化した。

そのため、各企業は持ち合い株を放棄するしかなくなってしまった。そして、多くの会社がハゲタカファンドに買われてしまったのだ。

護送船団方式も大蔵省が音頭を取って、日本の金融を守ってきたものだ。もはやそれもない。すべて競争の名のもとに日本的経営が否定され、結局は競争力のある巨大外国資本に奪われてしまったのだ。

【プラザ合意】（ぷらざごうい　1985年に行われた為替レートの安定化策）

1985年9月22日、アメリカのニューヨークにあるプラザホテルでG5（アメリカ、イギリス、日本、ドイツ、フランス）が開かれた。このことから、プラザ合意と呼ばれる。この日、当時のG5の大蔵大臣（米国は財務長官）と中央銀行総裁が集まって、為替レートの安定化策を話し合った。

20分程度で会議は終わった。それは、アメリカの膨大な貿易赤字と財政赤字を解消するための根回しは終わっていたからだ。アメリカでは、高インフレを解消するために金利が20%に達し、世界各国の投機マネーが集中していた。

そのため、行ったことは、各国が外国為替市場に協調介入し、ドル高を是正することであった。これにより、アメリカの貿易赤字を削減し、輸出競争力を高めようとした。そして、裏の狙いもあった。それについては真田氏のインタビュー（21頁）を読んでいただこう。

このプラザ合意の結果、1ドル＝235円程度の為替相場は1日で20円も下がった。そして、1年後には150円程度まで、ドル安円高になった。

これによって、日本の輸出産業は非常に痛手を負い、海外に工場移転が進む一方、円が非常に強くなった。そして、低金利政策と円高による不動産の過剰流動性が起き、不動産バブルを引き起こすことになる。ちなみに、このとき、某大臣は、プラザ合意の決定後、すぐに先物取引でドルを売って大儲けしたと言われている。

【ブレトン・ウッズ体制】（ぶれとん・うっずたいせい　固定為替相場制を基礎とする国際通貨体制）

ブレトン・ウッズ体制は固定相場制を決めたものであって、1971年のドルと金の交換停止と73年の変動相場制の移行によって、その体制は終わったと思われている。

しかし、ブレトン・ウッズ体制は固定相場制だけを決めたものではなかった。そこで決まったのは、GATT＝関税及び貿易に関する一般協定と、IMF＝国際通貨基金、そしてIBRD＝国際復興開発銀行、一般的に世界銀行と呼ばれるものの成立が決まったのだ。これによって、世界の経済体制が確立された。このうちGATTはWTO＝世界貿易機関に発展する。これは教科書でも書かれていることで、誰もが少し調べればわかる。そこで、ポイントは、このシステムを誰が握っているかである。

WTOの本部はスイスにあるが、IMFと、IBRDの本部はワシントンD．C．にある。そして、IBRDの資金はアメリカから出ている。

もともと、ブレトン・ウッズ体制はアメリカとイギリスがつくったものである。第二次世界大戦で勝者だった5大国はアメリカ、ソ連、中国、イギリス、フランスである。だからこそ、この5カ国は原子爆弾を保有することが許された。そして、この5カ国が世界を支配するが、ブレトン・ウッズ体制は自由主義国の制度であり、関係するのはアメリカ、イギリス、フランスだ。

そして、フランスは戦争で打撃を受け、力を保っていたのはアメリカとイギリス、特に、アメリカなのだ。だから、戦後の経済体制はアメリカが支配する体制なのだ。

第一部　陰謀の正体

第2章

ITにおける陰謀とは何か？

深田萌絵氏（ITビジネスアナリスト）に聞く！　ITにおける陰謀とは何か？

●ＤＸ（デジタル・トランスフォーメーション）とは何か？

デジタル監視のインフラに投資をさせようという中国浙江財閥の陰謀

「デジタル監視」が始まったアメリカのパトリオット法

編集部　岸田文雄首相は２０２２年10月の国会における方針演説でもＤＸを積極的にすすめることを話しました。ＤＸはDigital Transformationの略です。直訳すれば「デジタル変革」となります。

一般的にＤＸは、「デジタル技術を社会に浸透させて、人々の生活をより良いものへと変革する」ことを意味するといいますが、政府が積極的にすすめる裏には何かがあることを感じますが、どうなのでしょうか。

深田萌絵氏（以下、深田） DXのプロパガンダの目的は、デジタル監視のインフラに対して世界各国から投資をさせようという、中国浙江（せっこう）財閥の陰謀です。

編集部 デジタル監視ですか？

深田 はい。そのデジタル監視について説明する前に、これまでのITの流れをざっと説明したいと思います。

まず、アメリカのクリントン大統領時代に副大統領のアル・ゴアが、インフォメーションスーパーハイウェイ構想を提唱しました。これによってインターネットのインフラである通信回線が世界中に接続されました。

IT革命といわれ世界中がインターネットでつながった時代が終わって、2000年にドットコムバブルが始まります。そして、IT産業にどっとお金が流れたのです。

ちょうどその頃、アメリカ同時多発テロ、9・11が起きました。デジタル監視は、この9・11から始まったのです。

9・11の後、アメリカはパトリオット法＝米国愛国者法を制定します。この法律はテロリストを監視するという目的で、外国人被疑者と関わったアメリカ市民を監視してもいいという内容でした。

それまで、アメリカの情報機関は、市民のプライバシーを守るためにアメリカ市民の情報収集はしないことになっていました。それが、アメリカをテロから守るためにパトリオット法が制定され、変わってしまったわけです。

それを機に、アメリカでは国の予算を使ってプリズム（PRISM）計画が実施されます。プリズム計画とは一般市民も含む世界中の人々のインターネット上の情報を収集し監視するというシステムです。アメリカ政府による全世界市民の監視システムです。

しかし、2013年に、それがエドワード・スノーデンによって暴露されます。それまで都市伝説的に言われてきたインターネットによる監視システムが、実際にあったかのようにスノーデンが語ったのです。

スノーデンは、もともとＣＩＡの職員で、出向としてＮＳＡ（National Security Agency＝アメリカ国家安全保障局）の仕事をしていました。スノーデンが著書で言及しなかったことは、米国政府が傍聴する相手はあくまで外国人であり、アメリカ市民のみを対象に傍聴することは許されていないという点です。

トランプ前大統領のロシアゲート疑惑をよく見ると、トランプ前大統領の右腕だったマイケル・フリン氏がＮＳＡによる盗聴の対象となっています。それは、元ＭＩ６職員が捏造したといわれるスティール文書にトランプ前大統領がロシア政府とあたかもつながっているように書かれていたからです。

そこでＦＢＩはマイケル・フリン氏がロシア大使と通話する際に、ＮＳＡに傍聴させることが可能かどうかをＦＩＳＡ裁判所（外国情報活動監視裁判所 Foreign Intelligence Surveillance Court、FISC）に求めます。ＦＩＳＡ裁判所の許可を得たＮＳＡがマイケル・フリン氏を傍聴したことが明らかになっているように、米国政府は「自由に米国市民を監視できる」わけではなく「外国人被疑者とのつながりを裁判所で立証し、裁判所の許可を得る」ことで初めて自国民に対する傍聴が可能となるのです。

スノーデンの著書は国際世論を大きくミスリードし、中国を有利な立ち位置に導くものです。

米国政府はロシア政府にスノーデンの引き渡しを要求しますが、ロシア政府はそれを拒否しました。

アメリカの国を守る情報機関NSA

編集部　ＮＳＡの請負仕事をするコンサルタント会社の職員でしたね。
深田　多くの方がアメリカの情報機関のことをあまり理解していないと思いますが、アメリカには、情報機関が四十数機関あります。ＣＩＡだけではありません。映画やドラマなどではＣＩＡがよく取り上げられていますが、ＣＩＡはヒューミント（ＨＵＭＩＮＴ）まで行う情報機関です。多くの情報機関がオシント（ＯＳＩＮＴ）と呼ばれる公開情報の分析からなっているなかで、ＣＩＡはヒューミントという人から直接情報をとる現場の仕事も含まれています。
アメリカでは、様々な省庁の中に、様々な情報機関があって、各省庁の情報機関がそれぞれに情報収集をしています。アメリカは四十数情報機関を持つことでリスクを分散しているのです。アメリカという巨大な政府システムの中で、一つだけしか情報機関がないと、その情報機関がブロックされたり、破壊されたり、乗っ取られたりしたら、アメリカという国は、情報的に武装解除したことと同じになります。そのようなことがないように、四十数もの情報機関があって危機に対処しているのです。

それに対して、日本は情報収集機関がかなり少ないのです。そのため情報収集能力から情報量もアメリカに比べて格段に落ちます。日本にあるのは、公安調査庁、自衛隊の情報部隊、外事警察、内閣調査室（内調）です。内調はオシントが基本ですが、時に自ら赴いて情報収集を行うこともあります。

内調の場合、普通の政府職員がある日突然出向になって調査員になります。１、２年でプロの情報部員になれるかというと、そんなことは絶対ないわけで、ここを見ただけでも日本の情報機関のレベルの低さはわかると思います。

さらに、日本は数少ない情報収集機関に中国とかの工作員が入り込んでいるうえに外事警察の人事情報まで流出しているので、まともな情報収集ができていません。

編集部　スノーデンが働いていたNSAとはどんなところなのでしょうか。

深田　アメリカの情報機関の中で、その情報を統括しているのが、ホワイトハウスの中にあるDNI（Director of National Intelligence＝アメリカ合衆国情報長官）です。これが、四十数ある情報機関から情報を吸い上げているのですが、そこに、レポートを出しているのがNSAです。

NSAは情報収集機関というよりは、名前のとおり、国の安全を守るための機関なのです。その一環として情報収集をしているというのが正しいでしょう。NSAで働くことは3代前からアメリカ合衆国の国民でないとできません。外国人と結婚した人はNSAからはずされます。まさに国の安全を守る人たちです。そのため、NSAが、政府に国家安全上必要な措置を提言した場合は、アメリカ政府は、それに従わざるをえないということも当然起こりえます。

そのNSAをはじめ各情報機関が、2001年の9・11から国家の安全を守るために、インターネットを使って世界中の一般市民の情報を収集し解析していました。そして、これが、DXのそもそもの源流になるのです。

しかし、それがいま、変わってしまいました。

プリズム計画でビッグデータ企業に資金が流れた

編集部　変わったのですか？

深田　プリズム計画は2000年代の中頃から始まりましたが、ドットコムバブルで投資が集まった企業がアメリカ政府に情報を提供していました。AOL（エーオーエル）やスカイプ、ヤフー、グーグルなど名立たる企業が、収集した個人情報をアメリカ政府に提供したのです。

2000年代のドットコムバブルの時期には、インターネット産業にお金が流れましたが、そのあと、ビッグデータの時代がきます。そして、その後、そのビッグデータを収集する企業にお金が集まったのです。

これは、アメリカ政府が始めたビジネスプロパガンダの結果です。アメリカ政府は全世界の個人も含めた情報収集を始めたので、それを担う企業に投資の資金が流れるように仕向けたのです。

だからといって、ビッグデータにビジネス的価値がないわけではありません。ビッグデータとは何か、それは大量の顧客データです。大量の顧客の購買履歴から、次の購買行動が予測できるようになります。だから、ビッグデータを持っている企業は価値を持つわけです。

そのビッグデータの企業に資金が流れることによって、企業は大きくなりました。そして、ビッグデータを維持するには巨額の資金が必要になります。インターネットというインフラだけではなく、データセンターというインフラが必要になります。日々蓄積される全世界からの個人も含むデータですから、その量は膨大です。それをため込むデータセンターは巨大になります。だからこそ、巨額の投資を必要としていました。

編集部　日本人は電子データというのは、非常に小さなものだと思っていますが、違うのですね。

深田　違います。収集することにより莫大な情報量となります。そして、ビッグデータの次にきたのが、ソーシャルメディアの時代です。

ビッグデータの時代は、アマゾンやグーグルなどの購買履歴から、顧客が次に何を買うのかを予測できる、ということで情報収集していたのですが、それだと不十分だったのです。購買履歴だけでは、ユーザーの内面まで知ることはできません。

その頃、人々は、おのおのが何を考えているのか、どういった政治思想を持っているのかを、ブログで表現するようになりました。それは購買履歴とは違って、頭の中の情報を表したものです。

そして、ソーシャルメディアの時代になると、人々は、いま、どこで、何をしているのかを写真にとって、シェアをする、さらに自分がどういうもの（考えや思想、アーチストなどの人、商品などなど）が好きなのかを自分で投稿するようになりました。気軽に動画を作って、配信するというソーシャルメディアが台頭したのです。

２００８、９年が、その時代です。そのころにソーシャルメディアの企業に大量のお金が流れました。その中の一社がフェイスブックですし、ツイッター（現Ｘ）やユーチューブです。

しかし、2013年、スノーデンがアメリカ政府はプリズム計画のもとで個人情報を収集していると、暴露したわけです。

編集部　アメリカ政府は、ソーシャルメディアを通じて得た個人の頭の中の情報まで、プリズム計画で監視していたのですね。まさに情報機関による工作ですね。陰謀です。

スノーデンの暴露で中国浙江財閥が台頭

深田　しかし、スノーデンが暴露することで、状況が一変します。そして、ここから中国浙江財閥が出てきます。

編集部　浙江財閥ですか。

深田　中国浙江財閥は、蔣介石を経済的に支えた宋美齢の一族がいた浙江省、江蘇省出身のお金持ちの集まりでできている財閥です。中国浙江省、江蘇省出身の大企業のコングロマリットを浙江財閥と日本人が呼んでいたのです。

戦前の新聞が最初にそう書いたはずです。中国人は青幇（チンパン）と呼んでいました。その浙江財閥が国民党を支援して大きくしたのです。それだけでなく、中華民国のファーストレディである宋美齢、中華人民共和国の名誉国家主席である宋慶齢は姉妹であり、二つの中国は一つの家族が利権として牛耳っています。現在、私が浙江財閥と呼んでいるのは、宋家と二つの中国誕生に関わった浙江省、江蘇省出身者の末裔（まつえい）です。

その末裔たちがファーフェイの創業者であったり、ＴＳＭＣの創業者であったり、台湾ケーブル会社の華新麗華を興したり、エヌビディア（ＮＶＤＡ）というＧＰＵの会社の社長であったり、ＡＭＤというアメリカのプロセッサー会社のＣＥＯであったり、します。

このように、浙江財閥の人たちが、情報通信の中心となるインフラの会社、半導体チップを製造する会社、メモリの会社、プロセッサーの会社、ＧＰＵの会社に着々と投資して牛耳っていったのです。

鄧小平（とうしょうへい）もバックに浙江財閥がいました。鄧小平はアメリカの情報社会への戦略を研究していました。アメリカが通信の時代を作りだして、情報を一挙に制御・管理し支配するつもりだと分析していたわけです。そこで、鄧小平は、その通信の時代に備えて、それらの会社を作るよう浙江財閥に進言・命令し、できたのがファーウェイやTSMCなどです。

そして、2013年のスノーデン事件が起こります。スノーデン自身は香港経由でロシアに亡命しましたが、スノーデンの暴露で世界には、特にITの世界には激震が走ります。

スノーデンの暴露で、世界中の人たちがアメリカ政府を批判し、人権を侵害していると抗議を始めました。そして、シリコンバレーの人たちも、「そんなことをすべきではなかった」、「インターネットは民主主義をもたらすものなのに、国民を監視するべきではなかった」、ということで政府批判に走ったのです。

それによって、アメリカ政府のオバマ大統領はプリズム計画のバジェット（予算や投資）を廃止してしまいました。

これに困ったのが、プリズム計画に参画していたAOLやスカイプやグーグルなどの企業です。

何が困るかというと、ビッグデータは、なかなかお金を生んでくれないのです。それなのにデータセンターのコストはかさみます。先に話したようにデータセンターは巨大で、建設コストもかなり費用がかかりますが、実はランニングコストも半端ではありません。電気代、水代、冷却費用代等々、莫大な費用がかかるのです。

そうなると、ドットコムバブルやビッグデータ投資、さらにソーシャルメディア投資で栄えた企業たちは、資金繰りに苦しんで潰れてしまいます。

そして、そのとき現れたのが習近平（しゅうきんぺい）でした。

編集部　習近平ですか。

疲弊したビッグテックに手を差し伸べた習近平政権

深田　習近平のバックは基本的に浙江財閥です。先ほど話したように浙江財閥は半導体を作っています。その浙江財閥がシリコンバレーのビッグテックとの懸け橋になりました。
それらのアメリカ企業に、売れなくなった個人データを中国が買い取りますよと、それどころかデータセンターを作る費用も中国が協力しますよと、中国国内にデータを置いておけばデータセンター代はタダですよ、と甘い誘いを送ったのです。

そういうお誘いにアメリカ政府のバジェットが小さくなったビッグテックは中国に傾倒していったのです。

編集部　ビッグテックはアメリカからの資金がなくなって中国の資金に頼るようになったということですね。

深田　しかし、これはいままでの流れです。DXの前の時代です。いま、DXで次の時代に入ろうとしています。

編集部　さらに次の時代ですか。

深田　それが自動車です。

編集部　自動車？

深田　そうです。自動車はインターネット時代のラストリゾート（最後の拠り所）と10年前から言われていました。

スマートフォンやパソコンを経由した情報収集は、十分なされてきました。人間は電車に乗っているときはスマホを使いますが、車を運転しているときはスマホを使えません。ナビゲーションなどで使う人はいますが、複雑な操作はできません。

情報を収集したい側からいうと、自動車に乗っているとき、人間が何を考えているのか、どういう経路をたどるのか、何をやっているのかの情報を収集することが、次のお金になるラストリゾートなのです。

そこで、生まれたのが5G（ファイブジー）という第五世代通信です。

編集部　5Gですね。

深田　5Gの前の4G＝第四世代通信は映像を配信できる通信規格です。4Gでグーグルやユーチューブは、みなさんの映像を配信するプラットフォームであると同時に、みなさんの映像を収集していたのです。

そのように、4Gは、映像情報を収集するためのインフラだったのですが、5GはIoT(アイオーティー)通信の規格といわれています。

IoT通信は、モノとモノのインターネットといわれていますが、ほとんどの分野でモノとモノとのインターネットはお金を生まないのです。お金を生めるとしたら、車しかありません。

さらに、もう一つポイントがあります。

次のデジタル監視につながるヴィークルtoエブリシング

編集部　もう一つ？

深田　5G通信は大容量通信ができるといわれていますが、実際は、そこまで通信量は増えていません。では、何のために作られたのか、それはファーウェイが通信規格を乗っ取るためです。

ファーウェイは5Gはモノとモノとのインターネットのための通信だということで、それをプロモーションして、世界の通信規格を席巻したというがポイントなのです。

編集部　ファーウェイの策略ということですね。

深田　しかし、5G通信はモノとモノとのインターネットといっても、お金が儲かるのは、V2Xだけです。ヴィークルtoエブリシング。自動車とすべてのモノをつなぐインターネットの部分です。

だから、自動車のためのインターネットなのです。

スマホからは情報を収集しきった、家電からも情報を収集しきった、パソコンからも情報を収集しきった、ということは、最後に残されているのが自動車です。

そして、これは次のデジタル監視につながるのです。

編集部　浙江財閥の陰謀、デジタル監視ですね。

深田　自動車を運転している間も、人間は思考します。その思考の情報を収集したり、その人たちがどこへ行って、何をしようとしているのかの情報を収集したり、これが次の時代のＤＸにおける人類監視システムです。

２０１３年まではアメリカがその情報収集を主導してきました。２０１３年以降は中国が主導しているのです。

そして、５Ｇという規格が始まって、次はＶ２Ｘの時代だよというところまで出口が見えてきています。で、人類監視システムです。

Ｖ２Ｘの時代になったら、どうなるでしょうか。自動車はガソリン車からすべて電気自動車に替わります。電気自動車になって、すべての自動車がインターネットでつながり、自動運転の時代がきます。

いままでだと、自動車同士や、自動車とモノは話をしませんでした。しかし、インターネットにつながった自動運転の時代になると、自動車から死角になっているモノが見えるようになります。

死角から人が飛び出してきてもスマホやアップルウォッチのようなデジタルウォッ

チを身につけている人たちは電波を発しているので、自動車が先にその電波をキャッチしてくれます。

だから、飛び出し事故を減らせます。自動車同士も常に話し合っているので、車間距離もドライバーと関係なく自動車同士で決めてくれます。そして、道路側からも情報を発信しているので、道路側からの「この先、この道が混むので、違う道を通ってください」という情報がくれば、自動車はドライバーの意思とは関係なく、別のルートをとろうとします。

さらに、Ｖ２Ｘで自動車同士の通信やサーバーとの間の通信ができるようになると、燃料効率がよくなります。自動車は隊列走行すると一気に燃料効率がよくなるからです。

編集部　自動車同士が勝手に車間距離を決めてくれるということですね。

深田　はい。そして、ここからが人類監視システムの核心です。ここまでは、それを理解するための説明でした。Ｖ２Ｘで、モノと自動車がつながり、道路から情報がくれば、ETCを取り外しても、高速道路だけでなく、どこからどこまで車が走ったかを自動的に情報収集することができます。

２０２３年初頭に、岸田政権のリーク記事として、道路利用税の話がありました。道路利用税がなぜ言われ始めたのかというと、いままでは、ガソリンを使うと、ガソリン税を取ることができました。しかし、電気自動車になると、ガソリン税が取れません。ガソリンを使わないからです。ガソリン税で道路工事などの費用を集めていたのに、ガソリン税がなくなったら、国のインフラである道路の工事やメンテナンスができなくなってしまいます。では、どうやってお金を集めるでしょうか。走行距離で税金を取るということです。そして、この発想は中国政府からきています。

モデルは中国政府が進める道路利用税

編集部　中国政府からですか。

深田 そうです。中国政府が2027年をターゲットに道路利用税を導入しようとしています。

それでは、道路利用税に何が必要かといえば、どれだけ、その自動車が道路を利用したのか、つまりどれだけ、一年間で走ったのかがわかる必要があります。さらにもっといえば、その運転していた人が、どれぐらいの距離を走ったのか、自動車を共有している場合は、複数の人が別々に乗っているわけですから、その自動車の走行距離だけで課税することはできません。

さらに自動車を運転したその人ごとに、道路利用税を課税しないといけません。そうすると、その情報を収集するのは、いまのインフラのままだと不可能です。自動車一台だけであれば、走行メーターで割り出すことも可能ですが、複数人で一台を共有している場合は不可能です。

そうなると、自動車と、運転者のスマートウォッチやスマホやスマートメガネなどと、国のサーバーを、常にインターネットでつないで、個々人がどこを移動したのか、情報収集する必要があります。これが、今後のモビリティーアズアサービス時代のグローバルスタンダードの規格に入ってきます。

編集部　5Gはそのための規格なのですね。

深田　そもそもはそうでした。ドライバーがどこからどこまで運転したのか、有料道路はどこを通ったのかを、車が勝手に政府に報告します。それによって、ETCの利用料、有料道路の使用料が自動的にクレジットカードから引き落とされます。どこからどこまで走ったかによって、道路の利用税も決まってくるので、道路利用税も勝手に計算され、納税者が払わないといけなくなります。

こういうインフラに向かっているのです。これも中国政府からスタートしています。ということは、DXのステージは、スマホ、デジタルウォッチ、スマートウォッチ、スマートグラス、パソコン、家電、それらほとんどの家にあるもの、手に持っているモノから情報収集されている時代から、自動車にまでそれが及ぶ時代がくるのです。

それだけではありません。

編集部　それだけではない？

街中に監視カメラと地中にセンサーのスマートシティ

深田　次はスマートシティです。スマートシティでは、街中に監視カメラを置きます。それだけではありません。主要な道には、センサーを埋め込んで、いつどこで誰が歩いているのかをわかるようにします。そして、それらの情報を常に収集できるようになる、ということまで言われています。

だれが、深夜、どこを通ったよということが、センサーと街中の監視カメラでわかってしまいます。そしてそれが常時、収集されるのです。

さらに、このスマートシティ構想で恐ろしいことは、多国間経済連携協定のＴＰＰやＲＣＥＰによって、日本は、スマートシティで収集された街のデータを全部外国と共有しなければならないことです。これらの協定には、各国がビッグデータを共有することが義務付けられています。

ということは、外国が日本を攻めようとしたときに、スマートシティの情報のプラットフォームにアクセスして、いまどこを人が歩いているか調べれば、人気（ひとけ）がないところを見つけて狙うことが簡単にできます。

自衛隊や警察が来たこともすぐにわかります。彼らの歩行方法は独特で、訓練されているので、歩行のリズムで人工知能にはすぐに解析できます。

だから、警察や自衛隊が向かっているというセンサー情報を得たら、敵軍はすぐに撤退できます。いま、自衛隊が向かっているから、すぐに逃げろという情報が発信できるのです。

このような恐ろしい可能性があるのがDXなのです。岸田政権が推進し、皆さんがもろ手を挙げて導入しようとしているシステムなのです。

もちろん、いい面もあります。過疎地は交通の便が悪いですから、モビリティーアズアサービス（MaaS〔マース〕）で、バス路線が廃止されたところでも、無人の小さなバスで、一日中、勝手にバスを動かすことは可能です。すでに試験運転も始まっています。

また、ドローンでモノを届けるという実験も始まっていて、過疎地を支えていくということに対しては、非常にいい効果もあるのです。

そこは、分けて考えないといけないと思います。

編集部　どうしても必要なところには導入し、危険なところは排除していく必要がありますね。

深田　デジタル社会がもたらす国家の危機に対応できるほど、日本は成熟していません。いや、これは未知の世界なので、どこの国も対応できていません。

浙江財閥は、基本的に日本軍と戦った中華民国国民党の後ろ盾でした。その人たちがＴＳＭＣという会社、ファーウェイという会社を使って世界中から情報を収集しているだけではなく、日本をターゲットにして情報収集に入っているわけです。

かつて、日本と戦った人たちが、今後、日本と戦わないという保障はないと思います。

そしていま、半導体不足を契機に、アメリカはついに浙江財閥の動きを摑(つか)みました。そして、２０２２年から浙江財閥封じにかかっています。これが最新の動きです。

編集部　アメリカvs浙江財閥の戦いが起こっているということですね。

勃発したアメリカのエスタブリッシュメントと浙江財閥の戦い

深田　浙江財閥とアメリカのディープステートと呼ばれているエスタブリッシュメント層、この人たちは、もともとはダボス会議を通じて仲良くやってきました。しかし、2020年のアメリカの大統領選前後あたりから歩調が合わなくなってきたのです。それは、情報通信のIT技術を使った情報収集の覇権を握るのは、どちらなのかという点で、中国や台湾が勝ち始めたからです。アメリカのディープステートは焦り始めました。

自分たちが負けているということに気がついたのです。トランプ政権時代にファーウェイの創業者の娘が逮捕されましたけれど、なぜ、娘なのでしょうか。

ファーウェイは、先ほど書いたように鄧小平の命令でできた会社ですが、その通信利権は、基本的に浙江財閥で周恩来を裏で支えていた孟東波(もうとうは)に与えられました。孟東波の娘婿の仁正非(じんせいひ)はマスオで、単なる手ごまです。直系は孫の孟晩舟(もうばんしゅう)です。だから、彼女が逮捕されたのです。狙いは浙江財閥ですよ、ということです。だから、アメリカはファーウェイを潰そうとしました。

トランプが２０２０年の大統領選で勝てなかったのは、トランプが実は台湾と仲が良くて、台湾経由で浙江財閥にかなり浸透されていたからとも言われています。アメリカのディープステートのエスタブリッシュメント層はトランプを降ろして、浙江財閥封じにかかったというのが、ここ3年ぐらいの展開です。

半導体不足が起こってから、アメリカは議会でＴＳＭＣ封じを議論しています。ＴＳＭＣと名指しにはしていません。中国の世界最大の半導体製造工場が、彼らにとって、国家の安全保障を揺るがす脅威であるとの話をしています。

そして、ファイナンス（金融）の世界から彼らを攻撃しています。

２０２２年から２０２３年にかけて、アメリカの株価が下がりましたが、インテルで30%ほどの暴落でした。しかし、浙江財閥の関係の企業は60%も暴落しています。ＴＳＭＣにしろ、エヌビディアにしろ、ＡＭＤにしろ、習近平を裏で支える企業は暴落しているのです。

さらに、浙江財閥企業と同じように、叩（たた）かれているのが、イーロン・マスクのツイッターとテスラです。

イーロン・マスクが解雇した社員の素性とは……

編集部　イーロン・マスクはなぜ叩かれるのですか。

深田　半導体不足が始まってから、アメリカの自動車メーカーは半導体が調達できなくて、減産になっています。しかし、テスラだけが増産になっていました。「なんで、テスラだけが増産できるんだよ」と、みんなが疑問に思っていました。

それでわかったことが、テスラは敵側、浙江財閥と組んで半導体を調達してもらっているということです。アメリカの自動車メーカーが半導体を調達できなくて危機に陥っているのに、敵側と組んでいたんだ、ということでテスラ叩きが始まりました。アメリカのエスタブリッシュメントが一斉にテスラ叩きをして、ビル・ゲイツなどは空売りを仕掛けました。

一方で、イーロン・マスクは買収したツイッター（現X）の社員を大量解雇しました。イーロン・マスクはもともとツイッターを買収するお金はありませんでした。そのお金は中国のお金なのです。チャイナマネーです。シルバーレイクというファンドがあり、チャイナマネーが流れています。そこからお金を調達してツイッターを買収し、大量解雇しましたよね。

大量解雇された人たちは、基本的にアメリカのエスタブリッシュメント側で言論統制している人たちです。ディープステート側です。

そして、基本的にアメリカンリベラルと呼ばれる人たちです。アメリカの極左側、民主党を応援している側の言論統制チームというのが一気に解雇されたのです。

だからアメリカンリベラル、ディープステート側は怒り狂って、ツイッターから広告を剝がすと言って、本当に剝がしました。アップルもツイッターをアップルアプリから外す、アイフォンアプリから外す、グーグルも外そうとしました。さらに、ヨーロッパユニオンもツイッターの利用を制限する方向で動きました。

編集部　イーロン・マスクは浙江財閥側なのですね。

深田　これは表の世界の人たちからはわからないことですが、裏の世界では、いままでアジアとヨーロッパ、アメリカはみんなで仲良くダボス会議に参加をして、みんなでグローバリゼーションを推進して、みんなでお金を儲けようという方向に動いていました。

ところが、中国が抜け駆けをして、中国政府が世界中の情報を一手に握ろうとしたわけです。だからこそ、欧米のエスタブリッシュメントたちは、今後のお金儲けが非常に難しくなる状況に危機を感じたのです。

アメリカのディープステート側と呼ばれている人たちと、浙江財閥が本気で戦っています。そこに、ヨーロッパも浙江財閥を叩き始めたという流れがあります。

そして、もう一つアメリカのおしりに火をつけてしまったことがあります。

浙江財閥がNSAに取って代わることを絶対許さないアメリカ

編集部　もう一つおしりに火をつけたこと？

深田　それは、台湾大手半導体製造企業TSMCとファーウェイがタッグを組んで、

NSAに取って代わろうとする動きが見えてきたことです。

先ほどお話ししたようにNSAは、ホワイトハウス内のDNIにレポートする立場にあります。NSAは単に情報を収集してきたのではなくて、アメリカをテロの脅威から守る、国家の安全を守るために情報収集してきたわけです。彼らが集めた情報は国のためであって、私企業を儲けさせるためではありません。

ところが、中国がNSAに取って代わろうとしているのが、鄧小平が浙江財閥に始めさせた企業、TSMCとファーウェイという一私企業です。このような一私企業にNSAと同じような機能を持たせて、しかもそれをグローバルに拡大して、NSAを凌駕（りょうが）しようとすることは、アメリカにとって絶対に許せないことなのです。

半導体不足でそれが露呈しています。なぜかというと、今後、よりNSAが世界中から情報を収集するためには、データセンターを増強しないといけません。しかし、アメリカがデータセンターを増強しようとしても、半導体不足でチップがないので拡張できないのです。

サーバーのチップがありません。なぜ、ないのでしょう。

それは、TSMCが納品しないからです。先ほどお話ししたとおり、アメリカで自動車メーカーが減産しています。それも半導体チップが足りないからです。その半導体チップを作っているのが、ＴＳＭＣです。

繰り返します。この状況でも、テスラだけは半導体が調達できています。いま、アメリカのＥＶ車市場というのは、テスラにも補助金が出ていますが、テスラ以外の自動車メーカーには、テスラ以上に補助金が出ています。テスラよりもお得な値段でＥＶ車が買えるのです。だからテスラは少し不利な状況です。

さらに、アメリカではＥＶの車はガレージで火がついたら燃え尽きるまで止まらないとか、テスラの車は事故が多いとか、テスラに対するネガティブキャンペーンが非常に激しく行われています。

その背後にあるのが、ＴＳＭＣとアメリカのエスタブリッシュメントの戦いです。エスタブリッシュメントから言わせれば、「テスラのイーロン・マスクよ、お前はあっち側だよな」ということで叩かれているのです。

ツイッターも同じ構造です。イーロン・マスクも２０２０年にツイッター上で行われた言論統制などを暴露するという形で反撃しています。戦いは非常に激しくなっています。両者自分の利益を守るために激しく闘っている状態なので、善悪の観点で見ると判断が難しくなります。

さらに、アメリカのNSAはデータセンターを増強して、中国の脅威と戦わないといけない瞬間なのに、半導体不足で調達できない状況です。アメリカの焦りは相当なものです。

しかし、TSMCとファーウェイは通信規格で世界のトップに立つだけでなく、ファーウェイがデータセンターを増強して、ここ2、3年で、データセンターの世界で急激に台頭しています。

それだけではありません。浙江財閥のフォックスコン（鴻海科技集団）と呼ばれる電子機器のデバイスの組み立て工場がいきなり、EV車の組み立て工場も始めています。それが急激に成長しているわけです。電子機器企業が自動車産業に進出してきて成長しているのです。

こういう状況にアメリカ側は気がつきました。浙江財閥がアメリカの半導体産業を買収で乗っ取り半導体の調達を絞ることで自動車産業も乗っ取ろうとしていること、さらに、半導体を供給しないことでNSAのデータセンターの拡張ができないようにしていること、そして、自分たちのデータセンターだけを拡張してNSAを弱体化させようとしていること、これらのことに、アメリカは危機感を超えて戦いを決意しました。

選択を迫られる日本政府。時間はない！

編集部　日本の政府はそのような状況にどう対処しようとしているのでしょうか。

深田　腰が引けていると思います。

アメリカ政府の一部では日本が浙江財閥側に寄っていくことを非常に懸念しています。アメリカにとって、韓国へのアプローチは成功しています。韓国のアプローチが成功したというのは、文在寅（ムンジェイン）政権が倒れて、尹錫悦（ユンソギョル）大統領という親米政権が誕生したことによって保守派が台頭し、アメリカと歩調が合っているからです。

しかも、尹錫悦大統領は親日でもあり、徴用工問題とか慰安婦問題もかなり妥協しています。なぜ妥協しているかというと、韓国は北朝鮮の脅威がかなり深刻なのです。

いま、北朝鮮が極超音速ミサイルを中国からの技術提供を受けて建設し、韓国を狙っています。北朝鮮の極超音速ミサイルの技術は、かなりの要素が日本と台湾からのものです。なぜ、中国共産党が韓国を狙うのかというと、中国共産党がバックにいる台湾半導体産業からすると韓国半導体はライバルで潰したい標的だからです。韓国は、現在、北朝鮮リスクが高まっており、それを受けて尹大統領は青瓦台を国防部の建物に移転しました。有事に備えているわけです。

北朝鮮にあるミサイル軌道計算スパコンの半導体チップは台湾から来ているそうです。最先端レーダーチップに関しては日本です。パナソニックの最先端レーダーチップ工場が台湾企業に買収され、ＴＳＭＣの実質支配のものになっています。日本が国家安全保障上の観点から技術管理を怠り、台湾に国内企業を売ったために、結果として北朝鮮を支えることになり、韓国が国家安全保障上の危機に陥っているのです。

文在寅政権と安倍−菅政権はかなり溝があり、日韓で意思疎通がうまくいっていませんでした。尹錫悦政権と岸田政権になって若干の回復の兆しはありますが、まだ、うまくいっていません。

韓国は自分たちの工業地帯が北朝鮮によって破壊されると半導体が製造できなくな

ります。韓国はGDPの多くを半導体産業、LG、サムスン、ハイニックスに支えられています。サムスンだけでGDPの一割を稼いでおり、半導体工場を失ったら国の柱が崩れるわけです。

そして、この韓国の半導体を潰そうと裏から仕掛けているのが、中国の浙江財閥です。

なぜ、中国の浙江財閥が、韓国のLGやサムスンを潰したいかというと、TSMCは世界最先端の半導体工場を持っていますが、世界でもう一社、最先端半導体工場を持っている国があります。それが韓国であり、サムスンなのです。TSMCがサムスンを潰さないと、アメリカがサムスンを使って最先端工場を作る可能性があり、中国が世界覇権を取る最大の障壁として残っているからです。アメリカとサムスンに最先端チップを作られるとTSMCのバリューが下がります。だからといって、自分たちが直接攻撃することはできないので、北朝鮮を使って韓国の半導体工場を狙わせています。

そのような脅威があるので、いま、韓国はアメリカと連携して米韓の半導体サプライチェーンの再構築を進めています。協定を結んで、TSMCに対抗するというロードマップがすでに出来上がっています。

しかし、アメリカの誤算は、日本が寄ってこないことです。日本は表面上アメリカに協力しますと言いながら、実際は何もしていません。

日本政府は中国浙江財閥と米国政府を両天秤にかけているのかもしれませんが、果たしてそれでいいのか。韓国が滅びれば、38度線は南下して、私たちが北朝鮮と国境を接することになります。米中を両天秤にかけることで優越感を抱いているのかもしれませんが、国家安全保障上の観点からすると一刻の猶予もなく、日本は米韓と連携するのが望ましいのです。

（文責／編集部）

深田萌絵（ふかだ・もえ）

ＩＴビジネスアナリスト。Ｒｅｖａｔｒｏｎ株式会社代表取締役社長。早稲田大学政治経済学部国際政治学科卒。学生時代には、ファンドで財務分析のインターン、リサーチハウスの株式アナリストを務める。卒業後、外資系投資銀行勤務。東日本大震災の後に、Ｒｅｖａｔｒｏｎ株式会社を創業。現在は、企業向けにＩＴコンサルティングサービス、ＡＩ、ネットワーク関連の技術協力を提供している。『「5Ｇ革命」の真実』（ワック）、『米中ＡＩ戦争の真実』（扶桑社）、『量子コンピュータの衝撃』『メタバースがＧＡＦＡ帝国の世界支配を破壊する！』（ともに宝島社）などＩＴ関連の著書多数。

第2章 ITの陰謀を知るための用語

（文／編集部）

【IoT】（アイ・オー・ティー　モノとインターネットをつなぐ Internet of Thingsの略）

ＩｏＴは、モノにも通信機能を持たせ、コンピュータとスマホなどとインターネットで相互に通信し、自動制御や遠隔操作、計測などを行うこと。工場と事務所をつないで生産機械を操作したり、農地ではドローンと事務所をつないで、農地の状況を確認して水をまいたり肥料を散布したりすることができる。また、家庭でもスマホと監視カメラをつないで寝たきりの老人やペットを外から監視することができる。

そして、特に、いま注目されているのは自動車。深田氏のインタビューでもラストリゾート（最後の手段）として取り上げられている（78頁）。

自動車をインターネットにつなぎ、自動運転、自動制御を可能にし、自動車に乗っている人の頭の中まで丸見えにしようとしている。そして、いま、そのプラットフォームをめぐって浙江財閥が陰謀を張りめぐらせているのだ。

【ＥＶ車】（イー・ブイしゃ Electric Vehicle-Car、電気自動車のこと）

温室効果ガスを排出しない電気自動車。ＥＶ車をめぐっては陰謀が渦巻いている。一つは欧州が２０３５年には１００％ＥＶ車にしようとしていること。これはCO_2削減で一歩先を行くトヨタのハイブリッド車（ガソリンとＥＶの両方を兼ね備えた車）をキャッチアップしようとする欧州の自動車メーカーが仕掛けたこと。

そして、中国は、ＥＶ車に補助金を出して積極的に日本に輸出しようとしている。これは、ＥＶ車に中国産のチップを埋め込み、日本の情報を奪うため。さらに、自国内の自動車をＥＶ車にしようとしている（うまくいっていないが）。これは、ＥＶ車とインターネットをつなぎ、自動車に乗る国民の監視体制を完全なものにしたい習近平の陰謀。

そもそもＥＶ車自体が地球温暖化のプロパガンダ。いくら電気自動車がCO_2を排出しないといっても電気を作る過程でCO_2を排出していたらプラスマイナスゼロだ。

【Web3・0】（**ウェブ3・0**　ウェブスリー、GAFAの支配から自由になったインターネットの時代）

Web1・0が1993年にアメリカ副大統領ゴアが提唱した情報（インフォメーション）スーパーハイウェイ構想でできた時代のインターネットだ。Windows95が象徴している。Web2・0が、GAFAががっちりプラットフォームを握っている双方向の時代のインターネットだ。これは、まさしくいまの時代だ。そして、Web3・0はそのGAFAの支配から自由になった時代のインターネットである。しかし、その方向性は二つある。一つはブロックチェーンなどを使って、非中央集権型の独立した各パソコンや各スマホなどが横に縦に、縦横無尽につながるインターネットである。中央集権でないから、支配者がおのおのを監視することはない自由なインターネットである。

しかし、一方、中国が言うWeb3・0は、確かにGAFAからは自由になるが、メタバースをプラットフォームにして、中国共産党がGAFAに代わって支配するインターネットになる。中国は陰謀をも使ってWeb3・0を支配しようとしている。

【スマートシティ】（すまーとしてぃ　Smart Cities ─Ｔ）

技術で都市全体を管理・運営する街

スマートシティの説明を見ると、こんな風に書かれている。

「都市内に張りめぐらせたセンサー、カメラ、スマホ等を通じて環境データ、設備稼働データ、消費者属性・行動データ等の様々なデータを収集・統合してＡＩで分析し、さらに必要に応じて設備・機器などを遠隔制御することで、都市インフラ・施設・運営業務の最適化、企業や生活者の利便性・快適性向上を目指すもの」です、と。

まず、スマートシティで行うことはデータ収集だ。データ収集とは人々の動きを監視するということ。そして、監視して何をするのだろうか。それは不審者の発見、犯罪者の摘発だ。さらに、緊急事態時には、外出者をドローンやロボットが制御するのだ。

さらに、政府や地方自治体だけでなく、ＧＡＦＡやアリババなどもスマートシティに取り組んでいるというから、きっと、街全体で人々の消費行動を促すのだろう。お腹が減っていそうな人のスマホに、近くのレストランやラーメン店をポップアップさせるとか。便利にはなるだろうが、儲かるのはプラットフォームのビッグテックなのだ。

【浙江財閥】（せっこうざいばつ　中国浙江省、江蘇省にある企業のコングロマリット）

深田氏が説明しているように（74頁）、浙江財閥は蔣介石や妻の宋美齢を支えた財閥である。中国浙江省、江蘇省にある企業のコングロマリットだ。浙江財閥の裏の顔は青幇（チンパン）（中国の秘密結社）。蔣介石は、この青幇の首領であり上海でアヘン王といわれた杜月笙（とげっしょう）とともに台湾にやってきた。彼らの裏の顔が青幇であるがゆえに、ダーティーなこともいとわない。殺人、陰謀、策略、これらを担うものはいくらでもいる。

現在、この浙江財閥の企業の中で、ファーウェイが中国国内で非常に強い立場になってきた。そして、ファーウェイの創業者である任正非（じんせいひ）が、収集した中国国民の情報をもとに、習近平を最強の男にした。ファーウェイは自ら開発した通信機器をもとに、中国国民の情報を収集する能力をいかんなく発揮した。諜報機関としての力も示したわけだ。そして、ファーウェイのグループは、この能力を使って、今度は世界中の情報を集め、監視しようとしている。そして、アメリカのエスタブリッシュメントから覇権を奪い取る陰謀を仕掛けている。

【ＴＳＭＣ】（ティー・エス・エム・シー　Taiwan Semiconductor Manufacturing Company, Ltd.　台湾の半導体製造会社）

もともとはアメリカなどで設計された半導体を作る工場として設立された台湾の半導体製造会社。それが現在は、世界で最も時価総額が高い半導体会社になった。台湾最大級の企業でもあり、本社は台湾の新竹市、新竹サイエンスパークにある。

この会社を創業した張忠謀（モリス・チャン）は、フォックスコン（鴻海科技集団）の創業者・郭台銘とは親戚であり、ファーウェイの副会長・孟晩舟ともつながりがある。いわゆる浙江財閥のひとりだ。その企業の新工場が、アメリカではアリゾナ州フェニックスで建設が始まり、日本では熊本で建設が始まっている。これは、日米がＴＳＭＣを取り込んだと考えるべきか、あるいはＴＳＭＣが日米に侵略したと考えるべきか、難しいところだ。

国の諜報能力の差を考えると、アメリカは取り込んだといえるかもしれないが、日本は侵略されたと考えるほうが妥当だろう。そもそも、ＴＳＭＣは単なる製造会社であったし、親戚のフォックスコンはＯＥＭ企業であり、相手のふんどしで会社を立ち上げ技術を習得（盗んだ？）した。日本より数倍、（ずる？）賢いことを忘れてはいけない。

【TikTok】（ティックトック 中国語では抖音-ドウィン、Douyin。動画に特化したソーシャルネットワーキングサービス）

中国版インスタといえるが、インスタが写真メインなのに対し、動画に特化し、音楽とミックスすることで二十代、三十代の若者に大人気になっている。そもそも、ティックトックの中国語の呼び名である「抖音」はビブラートを意味する。

このティックトックは2020年8月に、当時のアメリカ大統領であるトランプから国家安全保障上の情報流出などの懸念があるとして、アメリカ国内の事業をアメリカ企業に売却するよう迫られた。これは、トランプが大統領選に負けたため、収束したが、いまだに、ティックトックのショート動画で収集した情報が中国政府に流れている懸念は、払拭されていない。

しかし、一方でトランプの政策は、ティックトックが若者に大人気なので、トランプがその人気を利用して政治目的に使おうとしていたという陰謀論もあるので、ことの真偽はよくわかっていない。どちらにしろ、LINE同様、どこにデータセンターがあるかは気にしておいたほうがいいだろう。

【道路利用税】(どうろりようぜい 自動車などから取る新たな税制)

2022年11月10日、政府の税制調査会は、電気自動車(EV)が本格普及すると、現在のガソリン税では税収が確保できないとして、新たな税として走行距離に応じた「道路利用税」導入の検討を発表した。導入の時期は早ければ2025年といわれている。国民から税金を取る場合、どんぶり勘定で取るわけにはいかない。基本的には誰もが納得するかたちでなければ、国民に不満がたまる。走行距離に応じたという場合、自動車をシェアしていたら自動車の走行メーターでは対応できない。乗る人がその都度違うので、誰がどれだけ使ったかがわからなければならない。現在のGPSでも数メートルの誤差は出るので対応しきれない。そのためには技術革新が必要だ。

そこにはビジネスチャンス(利権の元)が広がる。現在のガソリン税の収入は2兆円を超える。すでに企業と国の暗闘が始まっている。そして、道路利用税の発想は中国から始まったという。詳しく深田氏がインタビューで語っているので読んでほしいが（84頁）、5Gの技術やスマートシティの構想ともリンクしているのだ。

【ビッグデータ】（びっぐでーた Big Data、ビジネスなどに利用できる巨大なデータ群）

ビッグデータがビジネスチャンスにつながるといわれて久しいが、ビッグデータを使ってビジネスチャンスを作るには、かなりのデータ量とデータ分析が必要になる。そのためにはビッグデータを保持するための資金が必要だ。

データは大きければ、大きいほど金になる。ＡＩも、よりデータが多いほうが正確性は高まる。だからこそ、そのデータを保持するための資金が必要になる。では、誰がその資金を出すのか。そこが問題だ。ビッグデータをすぐに使えて、お金を持っているところとなる。それが、データで市民を監視しようとしたプリズム計画のアメリカであり、現在は、データで人民の行動を分析し、管理・支配しようとする中国政府である。

ビッグデータは、権力者と常に結びつく、陰謀の道具になる。

【５Ｇ】（ファイブ・ジー　5th Generation、第５世代の移動通信システム）

５Ｇの電磁波によって新型コロナが広がったという説があるが、ここでは、それには触れない。なぜなら、わからないからだ。携帯電話が普及し始めたころに、携帯電話の電磁波で脳に障害が出るとか、胎児に影響があるということが言われていた。

確かに、電気の高圧線が発する低周波の電磁波に対しては健康被害が言われている。これ自体もまだはっきりした結論が出ていないが、スウェーデンでは健康被害の研究が進んでおり、全く可能性がないとは言えない。

しかし、それを踏まえて５Ｇスマホから出る微量の電磁波によって新型コロナが広まったと考えるには因果関係があまりにも脆弱（ぜいじゃく）だ。５Ｇの普及と新型コロナの拡大の時期が重なっただけにすぎない。

ここで取り上げる５Ｇについては、深田氏のインタビューでも触れているとおり、５Ｇ時代におけるプラットフォームの覇権争いである。

私たちは４Ｇから５Ｇになることによって、スマホの動画がよりサクサク見られるようになったことは実感している。しかし、5Gのポテンシャルはそれを凌駕している。まだまだ、その本領を発揮していないのだ。だから、そのポテンシャルに見合ったプラットフォームを誰が握るのか、その暗闘がいま、米中を中心に行われている。日本政府も国を挙げて、独自のプラットフォームを作ったらいいと思うが、どうだろうか。

【プリズム計画】（ぷりずむけいかく　アメリカの極秘大量監視プログラム）

スノーデンが暴露したアメリカ国家安全保障局（NSA）やCIA（アメリカ中央情報局）などが2007年から行っていたアメリカ市民も対象にした大量監視プログラムのことである。都市伝説のように思われていた市民監視が本当にあったことでアメリカは騒然となった。アメリカ当局は大手IT企業を使ってインターネット上の情報を広範に収集していた。正式名称はUS－984XN。コードネームがプリズムである。

これに協力していた企業はマイクロソフトの「So.cl（英語版）」、グーグル、ヤフー!、フェイスブック、アップル、ＡＯＬ、スカイプ、ユーチューブ、Paltalkの９つのウェブサービスだ。彼らは、ユーザーの電子メールや文書、写真、利用記録、通話など、多岐にわたる情報の収集を意図していた。

これが、当時ＮＳＡ勤務者だったエドワード・スノーデンの内部告発によって、ガーディアンとワシントン・ポスト両紙が、報道し、極秘プログラムの存在が明らかとなった。その後、アメリカ合衆国連邦政府筋もこの機密計画の存在を認めたのだ。ただし、アメリカ政府が情報収集の対象にしていたのは外国との不自然な関係を持つ人々であった。

【メタバース】

（**めたばーす**　Metaverse　インターネット上の仮想空間のこと）

メタ（meta）とユニバース（universe）の合成語。インターネット上に三次元の仮想世界を作り、そこで自らの分身（アバター）を使って、仲間とのコミュニケーションからゲームやショッピング、商品販売から、仕事や創作まで、様々な活動ができる空間のことである。始まりはＳＦ作家・ニール・スティーヴンスン が著作『スノウ・クラッシュ』で描いたインターネット上の仮想世界だ。

しかし、まだ、メタバースの概念は曖昧である。それでも、日本バーチャルリアリティ学会では、三次元のシミュレーション空間を持ち、自己投射性のあるアバターが存在すること、そして、複数のアバターが同一の三次元空間を共有でき、空間内にオブジェクトを創造できることをメタバースの要件としている。

そして、ここがポイントだが、このメタバースが、現在のビッグテックが独占するインターネットのプラットフォームを塗り替える可能性があることを指摘したい。今後、メタバースが、よりリアリティがあり、経済活動（デジタル通貨を使って稼ぐこと）もできて、没入感がアップすれば、現在ビッグテックのプラットフォームからメタバースのプラットフォームに乗り換える人は続出するだろう。

そのために、メタバースのプラットフォームをめぐって、その熾烈な覇権争いが始まっている。社名をMeta（メタ）に変えたフェイスブックをはじめ、中国も力を入れている。しかし、メタバースの技術開発は始まったばかりである。ゲームなどのバーチャルリアリティに先んじている日本企業もチャンスは十分にある。陰謀の片棒を担ぐアメリカのビッグテックから覇権を取り戻すのも夢ではない。

第一部　陰謀の正体

第3章

食における陰謀とは何か？

鈴木宣弘氏（東京大学大学院農学生命科学研究科教授）に聞く！ 食における陰謀とは何か？

●食料自給率が世界でも最低レベルなのはなぜか？

「アメリカが日本の食文化を変えて、余剰生産物の処理場にしたからです」

アメリカの食料に依存するようになった日本

編集部　日本の食文化は戦後、大きく変わりました。それによって食料自給率も大きく下がりました。食は生きていくうえでの最低限、必要なものです。さらに、ウクライナ紛争で食品が高騰しています。なぜ、そんなことになっているのでしょうか。

鈴木宣弘氏（以下、鈴木）　いま、まさに日本は食料安全保障崩壊の危機です。日本は食料を自国で生産する能力が非常に衰えています。こんな時に食料の輸入が止まったらどうなるでしょうか。

食べることができなくなります。まさに国民の命が危なくなります。だから、日本は、独立国として生き延びることができるのかどうかの、非常に深刻な危機にあるのです。

では、なぜ、そうなっているのでしょうか。結論から言います。

一つは、戦後、アメリカが日本を、アメリカで余っている農産物を食べさせる最終処分場にし、貿易の自由化を徹底したからです。そのために、日本人は食生活を変えられて、アメリカ人の食生活に合わせられました。そして、アメリカの食料に依存する民族に仕立て上げられたのです。

さらに、アメリカの食料に依存するようになったために、その農産物の安全性に問題があると思っても、拒否できなくなっています。そして、安全基準を下げろと言われると、下げざるを得ない状況になっているのです。

だから、日本は危ない食の最終処分場にもなっているのです。

これによって、一番利益を得ているのがアメリカのグローバル穀物商社などの巨大企業です。アメリカは、日本でアメリカの巨大企業が利益を得やすくするために、戦後、日本の若者をアメリカに留学させて徹底的に市場原理主義を叩き込みました。規制を撤廃すれば、貿易を自由化すれば、みんなが幸せになれると言って、実はみんなを守る仕組みを壊すことを教えたのです。アメリカや日本の政権と結びついた巨大な企業だけが利益を集中的に得られるような、そういう経済学を正しいと信じ込ませて、日本に戻しました。そういう人が非常に日本で増殖しています。

東京大学の教員も、アメリカで市場原理主義の博士号をとって、アメリカでアシスタントプロフェッサーにならないと、採用してもらえない状況です。そして、そのような教員に教えてもらった学生たちが、卒業して霞が関で日本の行政にかかわるわけです。

経産省によってアメリカに生贄(いけにえ)として差し出された農業

編集部 まさにアメリカの陰謀に育てられた日本人が行政を握っているのですね。

鈴木　だから、いまは、アメリカが何もしなくても、勝手に日本がアメリカの言うとおりに動いてくれます。そういう戦後教育をアメリカはしてきたのです。

そして、日本の経済産業省は、日本の経済政策として自動車の輸出を守る一方、その生贄として農産物を差し出しています。農産物の関税を撤廃してアメリカに市場を開放しているわけです。そして、食料は作らなくてもいい、お金を出して買えばいいんだと、お金を出して買うのが食料安全保障だとなってしまっています。

さらに、国家戦略なき財政政策で、農水省予算が削られています。

そのために、日本の食料は、非常に輸入が増加し、一方、農業が縮小し、自給率が低下しています。これが、現在の食料危機の実態です。

編集部　ここ2、3年経済安全保障について論議が交わされていますが、食料の安全保障についてはほとんど話されていません。それに、食料自給率についても、ほとんど報道がありませんが、それも関係しているのでしょうか。

鈴木　そのとおりです。食料が入ってこなくなるかもしれないと言われながら、食料自給率についての報道がありません。特に第二次安倍晋三政権以降、経済産業省の力は非常に強くなりました。それまでは、農水省の秘書官もそれなりの発言力を持っていましたが、いまは、全くありません。現在は、経産省が力を持ち、続いて財務省と外務省が力を持っています。その象徴が当時の今井秘書官です。

彼らは、アメリカともツーカーです。私は、当時の内閣は経産省政権と呼んでもいいと考えています。その流れが、菅義偉(すがよしひで)政権や岸田文雄政権に変わっても、基本的には変わりません。そういう意味で、食料自給率の位置づけがさらに低くなっているのだと思います。

編集部　岸田政権もそれは変わらないと。

鈴木　岸田政権は傀儡(かいらい)政権ですから。新しい資本主義と言いながら、何が新しい資本主義なのかさっぱりわかりません。岸田政権はおおもとのバックはアメリカであり、国内的には経産省や特に財務省に力があります。

日本では「失われた30年」とよくいわれます。その間何があったのか、規制改革です。規制改革して貿易の自由化をすれば、私たちは幸せになれると言われて、日本人は頑張ってきました。しかし、幸せになったのはたった１％の人たちで、彼らがより利益を得て巨大化しました。しかし、日本人の大半は実質的な賃金も所得も下がっているのです。だから、日本人全体にとって、規制改革は大失敗だったのですが、１％の人には大成功だったのです。

規制改革は１％の人が儲かる仕組みを作り出すものでした。その１％の人たちを、私は「いまだけ、金だけ、自分だけ」と呼んでいます。まさに目先の利益だけの、市場原理主義にとらわれている人たちの一番の問題は、安全保障の概念が全くないことです。

食料を作る人を痛めつけて、農業生産を縮小してしまったら、有事のときに、日本人の命は守れません。そのときのリスクを全く考えていないのです。

規制撤廃だと言って、企業が農業に進出できるようにすることによって、企業に農地が買われ、それが転売され外国資本に売られていく。そして日本の農業は衰退し地域も崩壊し、外国資本の手に渡っていくのです。

そして、食料における「有事のコスト」を安全保障に組み込まないことによって、現在の食糧危機にも対応できなくなっています。

日本を襲う食料のクワトロ・ショック

編集部　現在の食料危機というのは、どのような状況なのでしょうか。

鈴木　私は現在の危機をクワトロ・ショックと呼んでいます。4つのショックですが、コロナ禍、中国の「爆買い」、そして異常気象とウクライナ紛争です。

これによって、食料品の価格が暴騰しています。さらに、穀物や原材料について、中国などに対して日本の「買い負け」がはっきりしてきました。

ウクライナ紛争で、ロシアが食料は武器だとして、敵国には売らないという方向になっています。さらに、ウクライナでは穀物を輸出したくても、爆撃で輸出できない状況で、種付けもできません。

そして、このような状況を受けて小麦の生産量第二位のインドが自国民を守るために、輸出をストップしていることです。さらに、インドのコメの輸出量は世界の4割を占めていますが、その輸出の大半をストップしたのです。そして、そのような国が、インドにとどまらず30カ国にまで増えています。

それ以上に、日本にとって深刻なのは、化学肥料が買えなくなることです。日本は化学肥料の原料であるリンやカリウムの100％、尿素の96％を輸入に依存しています。日本の農家はこの化学肥料に頼って農産物を作っています。

そして、肥料の原料を作っている中国が自国の需要の高まりに、その原料を日本に売らないとなり、さらに、ロシアとベラルーシが敵国である日本に売らないとなっています。

そのために高くて買えないどころか、製造中止になっている配合肥料も出てきています。このままでは、在庫があるうちはいいですが、今後、化学肥料が農家に渡らなくなる可能性があります。

これだけでも恐ろしいことですが、さらに大豆が買えなくなる可能性も高いです。大豆は中国が外国から1億トン輸入していますが、日本は300万トンです。中国の3％ほどしか輸入していません。そして、中国はその1億トンの大豆を日本より高く買っているのです。大豆の需給が逼迫したら、日本は中国に買い負けは確定です。それだけではありません。穀物輸送の大型コンテナ船が入港できる港は日本にはありません。そのため中国の港から、荷物を小分けにして日本に運んでいます。輸送代も燃料費の高騰で高くなっています。

かなり、日本の食料輸入はリスクを抱えているのです。にもかかわらず、日本政府は金を出せば、食料は買えると思っています。

実際の食料自給率は10%を切っている

編集部 金では買えない事態がくるということですね。

鈴木 政府の政策は危機に備えて、輸入先を増やすということを考えています。しかし、根本が間違っているのです。輸入が止まってしまうということです。どこからも入らないということです。どこからも入らなければ餓死します。

政府やメディアは日本で食料生産をすると、コストが高いと言います。しかし、輸入が止まったら、命が危ないのです。命を守るためのコストが安全保障です。少々コストが高くても日本の農業をみんなで支えることが安全保障なのです。いざというときのために、普段からコストを負担することが安全保障です。

編集部　日本の食料自給率はどれくらいなのでしょうか。

鈴木　これも間違って伝わっています。野菜の自給率は80％といいますが、種は90％が外国に依存しています。そのため、種の輸入が止まれば、8％しか自給できません。そして、さらに、鶏卵の国産率は97％ですが、エサは88％が外国に依存しています。そして、鶏のヒナは100％が輸入です。ヒナを育てて卵を産ませていますから、物流が止まれば、いずれ卵は食べられなくなります。

ただし、これには、化学肥料分は入っていません。もし、化学肥料が止まれば、もっと悲惨なことになります。現在の農家の99・4％は化学肥料を必要とする農業をしています。その化学肥料がなくなれば、食糧生産は半減します。

さらに……。

編集部　まだ、あるのですか。

鈴木　アメリカから核戦争が起こったらどうなるかという試算が出てきました。15キロトンの核兵器100発が使われたら、直接的な被爆者は2700万人です。しかし、それによる物流のストップで2億5500万人が餓死するとされています。

そして、ここが問題ですが、2億5500万人の餓死者うち、約3割の7200万人が日本人なのです。これは核戦争を想定した極端な例ではありません。

どれほど、日本が海外の輸入に頼っており、物流が止まってしまったら、餓死する国家であるということを肝に銘じなければならないということです。

日本の自給率は38%（カロリーベース）だと言われていますが、種や肥料を勘案した自給率は10%あるかないかなのです。

農業への補助金、農作物への関税、どこの国でも普通のこと

編集部　自給率を上げるためにはどうすればいいのでしょうか？

鈴木　コメの自給率が高いので、ここを守るのが大切ですが、現在の米価は９０００円ほどです。しかし、かかる費用は1万５０００円。これではやっていけません。

政府は米価が低い理由をコメ余りだと言います。しかし、コロナ禍で、貧困に陥ってきちんと食事ができない層がかなり増えました。コメ余りというより、買えないのです。

牛乳も同じような状況です。食料は余っていると言いますが、十分な食事がとれずに困っている世帯も多くあります。そのような人々に政府はしっかり食事がとれるよう支援すべきなのです。貧困層にお米や牛乳をしっかり配給する。そうすれば、コメの在庫も少なくなり米価も上がりますし、酪農家も困りません。

世界には8億人の飢餓人口がいます。日本の貧困層だけでなく世界の人々にも、日本のコメが余っているのであれば、日本政府が提供すればいいのです。

このようなことはどこの国でもやっています。アメリカはコロナ禍で所得が減った農家に３・３兆円の補助をしています。３・３億円ではありませんよ。そして３３０

0億円で農家から食料を買い上げて困窮者に届けているのです。

このように、世界の各国は、常に、農家から食料を買い上げて、国内外の困窮者を支援する仕組みを持っています。ないのは日本だけなのです。

さらに、アメリカは農業予算のうち64％の10兆円が消費者の食料購入支援なのです。所得の少ない世帯に食料購入カードを支給しています。消費者が食料を購入すれば、それが農家の支援につながるからです。

アメリカもすごいのは、食料は武器だと言っていることです。安い食料で世界の人々の胃袋を摑んで支配するということをやっています。農家には安い価格で食料を売らせますが、実際にかかった費用は国が補塡します。だから農家は困りません。

その補塡額は一年で1兆円にも達します。

市場原理主義では食料の安全保障はできない

鈴木　一方、日本はコロナ禍で乳製品が余ったため、何をしているのかと言えば、酪農農家に対して牛を一頭殺したら15万円を支払うということをしています。非常にひどすぎる政策です。

日本の安全保障を考えただけでも、乳製品の需給が逼迫して、製品が入らなくなってきたらどうなるでしょうか。牛を育てるのに3年かかります。間に合いません。そして、案の定、もう「バターが足りない」事態になってきました。それなのに、まだ、酪農家には減産せよと言い続け、バターを緊急輸入し始めたのです。

さらに、米からの転作費として出されていた交付金もカットされました。これまでは米から小麦や大豆、そば、野菜、エサ米、牧草に転作すれば、農家は交付金を得ることができました。

今後、農業生産を増やしていかなければならないときに、農業予算を減らすために、農業を潰す方向に政策は向かっているのです。

現在、防衛力の強化が言われ、敵基地攻撃の能力強化のため、防衛費の増強が言われています。経済封鎖も行っています。

しかし、経済封鎖をしたら、一番困るのが日本です。国家戦略を考えれば、まず、食料とエネルギーを確保して、敵国を経済封鎖するのが定石です。しかし、日本はそれができません。逆に封鎖されて飢餓にさらされるのが日本なのです。

日米安保条約でアメリカは日本を守ると言われていますが、本当にそうでしょうか。2017年に北朝鮮から大陸間弾道ミサイルが発射されたとき、アメリカのCNNはいまのうちに韓国や日本が戦場になってもいいから北朝鮮を叩いておけ、という報道をしました。

これが、アメリカの本音ではないでしょうか。日本の米軍基地は日本のためではなく、アメリカを守るためにあるのではないでしょうか。

もし、台湾有事が起これば、シーレーンも封鎖されます。そうなれば、物流がとまって、日本に何も入らない状況が起きます。そのとき、どうするのか。日本が戦場にならなくても、日本人の命は守られません。

日本人の命を守るには食料の自給率を上げることが欠かせないのです。自由貿易でいくら貿易相手先を増やしても物流が止められたら、お手上げです。市場経済原理主義をいくら標榜(ひょうぼう)しても、有事のときには全く役に立たないのです。

編集部　それでもまだ、自由貿易による市場経済原理主義を通そうとする連中のために、政策がねじ曲がっているのですね。

アメリカとの密約で余ったコメを援助したくてもできない日本

鈴木　先ほど、日本のコメが余っているのであれば、世界の飢餓にさらされている人々に人道支援で米を送ってあげればいいと話しました。しかし、実際、これはできません。

それは、アメリカが許さないからです。ある国に食料援助すると、その国に食料を売っていたアメリカの製品が売れなくなります。だから許さないのです。アメリカから市場を奪ってしまうことになります。

政府行政の方々は「援助」と言っただけでアメリカの逆鱗（げきりん）に触れるから、言葉に出さないでくれと言います。

例えば、「国士（こくし）」と呼ばれ、アメリカにも言うことは言うといって、反対を押し切って日本の農産物を海外援助に回した当時の農水大臣は、いまは、この世にいません。

だから、誰も怖くて、口にも出せないのです。

他の国であれば、コメや乳製品が余っていれば、輸入を減らすはずです。しかし、日本はそれでも買い続けます。それはアメリカとの密約があるからです。

1993年ウルグアイラウンド(多国間通商交渉)で合意された「関税化」と併せて輸入量が消費量の3%に達していない国(乳製品については、カナダ、米国、EU)は、消費量の3%をミニマム・アクセスとして設定して、それを5%まで増やす約束をしました。しかし、実際には、各国ともせいぜい2%程度しか輸入されていないにもかかわらず、日本だけが律儀にそれを守っています。

ミニマム・アクセスは日本が言うような「最低輸入義務」でなく、禁止的高関税で輸入がゼロにならないように、ミニマム・アクセス内しか輸入していない国は、低関税を適用しなさい、という枠です。

その数量を必ず輸入しなくてはならないという約束では全くありません。

欧米にとって乳製品は外国に依存してはいけないから、無理してそれを満たす国はありません。日本は、すでに消費量の3%を遥かに超える輸入があったので、その輸入量である13・7万トン(生乳換算)を数値として設定し、その分、毎年忠実に輸入しているわけです。

コメについても同じで、日本は本来義務ではないのに毎年77万トンの枠を必ず消化して輸入しています。

それは、米国との密約で「日本は必ず枠を満たすこと、かつ、コメ36万トンは米国から買うこと」を命令されているからです。

この密約をやめるだけで、米価は元に戻ります。農家はこの密約の犠牲になっているのです。さらに言えば、日本の物価がかなり安くなってしまったために、そのアメリカ産のコメの価格は日本の1・5倍になっているそうです。高いコメを買い続けて、コメを作るなと言われ日本の米価は下がり続けている、こんなバカなことがあっていいのでしょうか。

手塩にかけて育てた子牛を殺さざるを得ない酪農家たち

鈴木　現在、日本の酪農家は非常に苦しんでいます。7重苦の状態です。
生産資材の高騰、畜産物価格の低迷、強制的な減産要請、乳製品の在庫処理への強制的負担、大量の外国製品の輸入、無策な政府、そして、子牛などの副産物収入の激減です。

大手畜産業者が潰れたために、そこに納めていた子牛の価格が暴落し、かつて5万円ほどの子牛がいまでは100円だと言います。そのために、子牛を薬殺せざるを得ないのですが、ミルクをあげて手塩にかけて育てた子牛を、殺さざるを得ない状況に、一番参っているのが農家の奥さんです。精神的にもたなくなる人も出ています。悲惨な状況です。

編集部　まさに政府の無策と陰謀の犠牲ですね。

鈴木　そのとおりです。そもそも、食料自給率が下がったのも陰謀です。食料自給率が下がったのは、食生活が洋風化したからしょうがないと言われます。日本の農地では作れなくなったでしょ、と言われると、そう思ってしまいます。

では、なぜ、私たちの食生活が激変したのか、ということです。冒頭でも話したようにアメリカが余剰生産物を食べさせるために貿易の自由化をさせて、しかも日本人にアメリカの農産物を食べるように洗脳政策をしたからです。

政策の結果だということは、江戸時代の食生活を見ればわかります。江戸時代は限定された貿易時代ですから、容易に外からモノが入ってきません。だから、ほぼ自給率１００％です。

日本の江戸時代は循環農業、循環経済、循環社会を築いていました。そのような実績が日本にはあるのです。

しかし、アメリカは余剰であったトウモロコシ、大豆に対する日本の関税を実質的に撤廃し、小麦も大量に日本が輸入できるようにして、自給率の低下を引き起こさせたのです。そして、日本の伝統的な農業生産は壊滅しました。

そのとき、アメリカにとって問題だったのが、米食です。米食をやめさせないと小麦を食べる民族にはなりません。そこで、登場したのが、『頭脳 才能をひきだす処方箋』という本です。戦後の食料事情が好転し始めた１９５８（昭和33）年に発行された慶應義塾大学医学部教授の林髞（はやしたかし）氏の著作です。これは、発売後3年で50版を重ねるベストセラーとなり、日本の社会へ与えた影響はきわめて大きかったのです。

この『頭脳』の中には、「コメ食低脳論」がまことしやかに述べられています。林氏は、日本人が欧米人に劣るのは、主食のコメが原因であるとして、

「せめて子供の主食だけはパンにした方がよいということである。（中略）大人はも

う、そういうことで育てられてしまったのであるから、あきらめよう。悪条件がかさなっているのだから、運命とあきらめよう。しかし、せめて子供たちの将来だけは、私どもとちがって、頭脳のよく働く、アメリカ人やソ連人と対等に話のできる子供に育ててやるのがほんとうである」

と述べています。この記述は、全く科学的根拠のない暴論と言わざるを得ませんが、当時は正しい学説として国民に広く受け入れられてしまったのです。大手新聞もコラムで米食否定論を載せるなど、洗脳されてしまいました。

洗脳されてパン食になった学校給食

編集部　とんでもないプロパガンダですね。

鈴木　そして、何が起こったでしょうか。学校給食がパンと脱脂粉乳になりました。そして、すべての子どもたちにパン食が浸透したのです。世界でも前例がないほどの短期間で国民の食文化が一変しました。

ここから、日本の米の消費が下がっていって、小麦の消費が増えたのです。そして、当時から、様々なパン食や肉食のキャンペーンがアメリカによって仕掛けられました。パンや小麦に関しては、キッシンジャー・リチャードバウム（米国西部小麦連合会）が旧厚生省「日本食生活協会」に資金供与してキッチンカー（栄養指導車）を走らせ、旧農林省「全国食生活改善協会」を通じて日本の大手製パン業界を育成し、旧文部省「全国学校給食会連合会」に資金供与しています。

また、日本の肉食化キャンペーンを仕掛けたのはクレランスパームビー（アメリカ穀物協会）で、ここが「日本飼料協会」発足させ、テレビ広告、東京都「食肉市場まつり」、畜産農家への技術援助などを展開しました。

日本の食生活洋風化はまさにアメリカの余剰穀物処理戦略なのです。

ちなみに、農林水産省が「わが国の食料自給率（平成18年度食料自給率レポート）」の64頁に食料自給率の試案を発表しています。そこでは、洋食から和食に変えると自給率が63％にアップするということが書かれています。

が、いまはネットでは見ることはできません。消されています。

編集部　自給率をアップさせないということですね。

鈴木　さらに、日本政府は自動車などの輸出を伸ばすために、農業を犠牲にするという短絡的な政策を採りました。農業に過保護だと国民に刷り込み、農業政策の議論が「農業保護はやめろ」という議論に矮小化（わいしょうか）されてしまったのです。

農業を生贄にしやすくするためには、農業は過保護に守られすぎて弱くなったとすれば、規制改革や貿易自由化というショック療法が必要だ、という印象を国民に刷り込むのに都合がいいのです。

この取組みは長年メディアを総動員して続けられ、残念ながら成功してしまっています。しかし、実際は、日本の農業は世界的にも最も保護されていないのです。

関税でいえば、日本の関税は11・7％ですが、EUは19・5％、韓国は62・2％です。アメリカは5・5％と低いですが、補助金で守られています。

農業所得に占める補助金の割合は、日本は30・2％、アメリカは35・2％、フランスは94・7％、ドイツでも69・7％です。日本の補助金はアメリカ以上に少ないのです。全然守られていません。

そもそも、食料は国の安全保障であることは世界各国の常識です。だからこそ、補助金を出して当然なのです。

アメリカの種子企業のために日本で種が作れないようにした法改正

鈴木　そして、グローバル穀物商社のほかに、アメリカ政府のバックにはグローバル種子農薬企業もいます。

それらの企業が、日本を最大にして最後の標的（ラスト・リゾート）にしようとしています。彼らは、中南米をはじめ世界各国で彼らの種（たね）を買わないと生産ができないような法律制度を作ろうとしました。しかし、農家の人たちの猛反発を受けて、うまく進んでいません。

アメリカのグローバル企業は、世界各国でうまく進まなくなると、アメリカの言うことは何でも聞く日本を標的にします。

まず、２０１７年に農業競争力強化支援法８条４項で、公共団体が開発した種の情報を海外も含む民間企業に提供することとなりました。公共団体だけが情報を持っていると民間の開発力がそがれるというのが理由です。

そして、2018年4月に種子法が廃止されました。これによって公共団体が種を開発するのを民間に移行させようとしました。理由は農業競争力強化支援法と同じ、公共団体が税金で種を開発すると民間の開発力がそがれるということです。

しかしこれは、表向きの理由です。実際は、公共団体に種を開発されると、グローバル企業が開発した種が売れないからです。彼らは、日本の県などの研究機関が開発した種の情報を手に入れるだけでなく、続いて、開発自体を止めようとしたのです。

編集部　とんでもない話ですね。日本の農業はとことん食い物にされていますね。

鈴木　そればかりではありません。種苗法が改正されて種苗の自家増殖が制限されました。表向きは、シャインマスカットの種が中国に盗まれて、中国で栽培されてしまった事件があります。それに対して政府は、農家が自家採種をしているから、種を盗まれるのだとしました。しかし、農家の自家増殖が海外流出につながった事例は確認されていません。

種を海外に持ち出すことは簡単です。ポケットに入れて知らん顔をしていればいいのです。だから、それを防ぐのは難しい。しかし、栽培されないための決め手はあります。中国で品種登録すればいいだけです。それを忘れたから栽培されてしまったのです。

しかし、農家による自家増殖が制限されました。これによって得するのは種子企業です。農家は、毎年種を買わないと生産ができなくなります。

編集部　まさに陰謀ですね。

遺伝子組み換え食品の表示が実質なくなる日本

鈴木　また、グローバル種子農薬企業が有利になる法律として２０２３年4月1日から遺伝子組み換えでない（Ｎｏｎ－ＧＭＯ）表示が実質禁止されるようになりました。もし、遺伝子組み換えでない表示をして、少しでも遺伝子組み換えの作物が入っていたら、業者は摘発され罰則を科されます。

日本で作られた国産の豆腐でも、大量に輸入される大豆の中に遺伝子組み換えのものが全く入っていないと確認することは不可能です。0・01％でも遺伝子組み換えの大豆が入っていたら摘発されます。そうなると、怖くて遺伝子組み換え商品ではないと表示できなくなります。

そうなれば、遺伝子組み換えの大豆を大量に使っていても、使っていなくても、消費者にはわかりません。結局、遺伝子組み換えの大豆を使っている商品が有利になり、日本人の消費者はそれを食べ続けることになります。

この遺伝子組み換えでない表示の禁止を強く主張したのがグローバル種子農薬企業と言われています。

編集部　それは日本人の命にかかわる由々(ゆゆ)しき問題ですね。

ゲノム食品の実験台にされる日本の子どもたち

鈴木　それだけではありません。カリフォルニアでは遺伝子組み換え種子とセットのグリホサート（ラウンドアップの除草剤成分）に発がん性があることを告知しなかったとして、グローバル種子企業に多額（320億円）の賠償判決がおりました。

それによって、世界各国でラウンドアップなどのグリホサート系農薬について規制が強まりました。しかし、日本では、それに逆行して、グリホサートの残留基準値を極端に緩和しています。小麦は6倍、蕎麦にいたっては150倍に緩和しているのです。

まだまだあります。ゲノム編集（切り取り）では、予期せぬ遺伝子損傷で染色体に異常が起こったり、細胞ががん化したりということが世界の学会誌に報告されています。まだ実験段階ですから、人間にダイレクトに弊害が出ているというわけではありませんが、ゲノム編集でできる新しいタンパク質はアレルゲンになる可能性があるという論文も出ています。

安全かどうかについては、まだ、判断ができない、リスクがある、安全とも安全でないとも断定はできない状態ですが、安全性に問題があるという論文は出ているのです。

しかし、ゲノム編集食品は、2019年10月1日解禁されました。その食品に対して消費者庁はゲノム表示を求めましたが、圧力で潰されて義務化されていません。日本の消費者は何もわからないままゲノム編集食品の実験台にされています。

さらに、安全性が確認できていないゲノム編集食品を日本の子どもたちからまず、食べさせようとしています。子どもが実験台にされているのです。

血圧を抑えるGABAの含有量を高めたゲノムトマトを、2022年度から障害児福祉施設、2023年度から小学校に無償配布して広めようとしています。学校給食で食べさせようとしているのです。そしてゲノム編集食品を広げようとしています。米国でさえやらない「ビジネス・モデル」を日本で展開しているのです。

このゲノム編集作物の基本は、農研機構（農業・食品産業技術総合研究機構）や国立大学などが税金で開発したものです。このゲノム編集作物は農業競争力強化支援法8条4項により払い下げられ、アメリカのグローバル種子農薬企業が商品化しました。儲かるのは特許をもっているアメリカのグローバル企業なのです。

日本で開発され、日本人の子どもが実験台にされ、儲かるのはアメリカのグローバル種子農薬企業なのです。

アメリカのウォール街に潰された日本の農協

編集部　このような事態に対して日本の農業を守ってきた農協（農業協同組合／JA）はどうなっているのでしょうか。

鈴木　農協は農作物を共同販売（共販）をすることで、買い叩かれずに価格を維持する役割を大きく果たしてきました。そして、政治的にも米価闘争などで農家の所得向上につながる運動を展開してきました。それは一つの対抗力としての役割を果たしてきたと私は評価しています。

編集部　現在もその力は残っているのでしょうか。

鈴木　以前のようには残っていません。特に、自民党が進めるTPPに猛反発して、反対運動の先頭に立ってしまったために、アメリカも怒りましたが、アメリカとの関係を重視する自民党が農協攻撃を開始しました。

その背景には、TPPだけでなく、アメリカのウォール街の要請がありました。一種の陰謀です。

ウォール街は日本に郵政改革をやらせて、350兆円の郵政の運用資金をアメリカが使えるようにしました。いまだにかんぽ生命が叩かれていますが、これは郵便局の販売網をアメリカの保険会社が乗っ取ろうとしているからです。

そして、次が農協マネーです。農林中金(農林中央金庫)に集まっているお金が100兆円、全共連(全国共済農業協同組合連合会)に集まっているお金が55兆円、合わせて155兆円の運用資金が喉から手が出るほど欲しいのです。だから、農協を解体しろという指令がアメリカから出ました。

現在のJA全中(全国農業協同組合中央会)は、以前の全中とは違う組織、社団法人になり、前の力をそがれてしまいました。

それから、共販についても、本来は強い買い手に対して、農家の皆さんが集まって対抗する正当な権利として、世界的にも独禁法の適用除外になっています。しかし、規制改革推進会議は、アメリカの経済界ともツーカーの人たちで、自分たちがもっと儲けられるようにするために、共販と共同購入というシステムを農協から剝奪することを熱心にやっています。

アメリカだけでなく国内的にも共販をなし崩しにして、さらに買い叩ける構造を作ることが進んで、農協が解体され農家が潰れていく状況を進めようとしているのです。生産コストが2倍に上昇しても農作物の販売価格は上がらないまま放置され、この半年で酪農家さんは9割もやめてしまうという勢いです。

日本の農業を潰して、デジタル農業をたくらむグローバリスト!?

編集部　9割ですか。すごいですね。

鈴木　9割、酪農家さんはそういうふうに言っています。とてもじゃないけどやっていけない。だけど、政府は何もしない、放置されています。規制改革で目指されているのは、農家はみんな潰れてもらったほうがいいということです。

そして、日米のお友達企業や食い荒らしたい人たちが農地を自分たちのモノにして、農業で儲けられるところはやってみるし、そうでなければ、転用して、転売していく。

ビル・ゲイツさんも、世界の農場だけでなく、日本の農場も買い始めています。これこそ陰謀なのかわかりませんが、日本の農業を潰してデジタル農業を進めようとしています。

人を全部農場から追い出して、生産から消費まで、ドローンを飛ばし、センサーを張り巡らして自動制御し、一番儲かるデジタル農業モデルをつくって投資家に売っていく。彼らは昆虫食も推進しようとしています。世界中で、とくに畜産、酪農を中心に農家が追い出され、日本でも酪農家が9割もやめざるを得ない状況がこのことと関連しているのか疑いたくなります。こういうと陰謀論だと言う人がいます。しかし、日本におけるフードテック投資の推進論をみると愕然とします。

その論理は、温室効果ガスの排出を減らすカーボンニュートラルの目標を達成する必要があるが、今の農業・食料産業が最大の排出源なので、遺伝子操作技術なども駆使した代替的食料生産が必要である。それは、人工肉、培養肉、昆虫食、植物工場、無人農場などと例示されている。すべてつながっているではないか。

日本はフードテック投資が世界に大幅な遅れをとっているので、国を挙げた取組みの必要性が力説されている。「いまだけ、金だけ、自分だけ」の企業の次のビジネスの視点だけで、食の安全性も食料安全保障も蔑ろになり、地域コミュニティも伝統文化も、日本社会そのものの崩壊につながりかねない。フードテックの解説を見ると、陰謀論ではなく陰謀そのものだと言わざるを得ないのです。

編集部　まさに、産業革命時にイギリスで起きた囲い込み運動ですね。

鈴木　日本の規制改革もアメリカの要求のもとに行われています。TPPもそうでした。さらに、TPPで交わされた日米2国間のサイドレター（付属文書）についても、TPPが破棄されても日本が自主的に決めたことだから、自主的にやるということだと、当時の岸田外務大臣が国会で答弁しています。

「自主的に」と日本が言うときは、「アメリカの言うとおり」と置き換えると意味が通ります。そのサイドレターで、日本政府はアメリカの企業がやってほしいことがあれば、規制改革としてやりますと宣言しているわけです。いままで、規制改革がなくても、アメリカの言いなりにやってきたわけですが、規制改革で、さらにお墨付きを得たかたちで、いまはもう暴走モードです。

日米お友達企業から官邸を通じて降りてきた話が、規制改革で正式に決まると、永田町（自民党）も大手町（全中）も霞ヶ関（農水省）も無視され、ほぼすべてが決まっていて、微調整ぐらいしかできないのです。

このことは非常に露骨になっています。先ほどから話している、農地に関しても自分たちが儲けられるところだけ農地を取得して、転売する。中国でもどこでもいいから売ってしまう。ピンハネで儲けられれば、それでいいみたいな状況です。

規制改革で農地を自由に企業が買えるようにしました。そして、市町村の農業委員会の委員を任命制に変えました。日本の農地を食い物にしようとしている企業や人たちが、儲けられそうな市町村で、農業委員に自分たちを任命し、農地を自分たちのモノにし、転用申請して、転売して儲ける、そんなところを物色しているという話さえ聞いています。

それで、日本の国が守れるのか、いざというときに国民の命を守れるのか、非常に危ない状況になっているのです。

日本の食文化を取り戻して、農林予算を増やせ

編集部 今後、日本人にできることは何でしょうか。

鈴木　戦後、アメリカからの大きな圧力で、我々は従わざるを得ない政治をやってきました。そして、いままで、国士といわれてアメリカに抵抗した人が何人かいますけれど、みんな潰されています。

私は、日本は真の独立国にならないといけないと思います。我々が真の独立をするためにはどうしたらいいのか。まず、国民が、地域地域でアメリカの思惑をはねのけるように、思惑に乗っかった食生活はしないで、自分たちの命を守る安全安心な食料を国内の地域地域で自分たちの力でしっかり確保することです。

学校給食の自治体による公共調達を一つの核にして、いろいろなかたちで、生産者と消費者が一体化して、地域のタネから作る循環型食料自給圏を構築する運動を強めながら、まず、各地の自治体の政治行政からうねりを起こし、日本を真に考えてくれる政治家をしっかりバックアップして、日本の政治家が面として、点だと潰されるので、面として、この陰謀をはねのけられるような独立国日本をつくるべきです。

私たちは、正しい情報を、食の生産者、消費者とともに共有して、国民の命を守る行動計画を地域地域でつくらなければ、いけないと思っています。

現在の政策のままでは、いまの農家は潰れてしまいます。本来であれば、防衛費5年で43兆円と言っていますが、命を守るというならば、防衛予算の前に、農水予算を何兆円規模でつけるべきです。

しかし、財務省はシーリングを盾に農水予算を削ってきます。だから、食料を守る予算をつけるために、食料安全保障推進法というものを超党派で成立させて、財務省の縛りを超えたところで、再配分ができるようにしなければいけないと思っています。

命を守る予算を日本がつけられるように、法整備をすべきだと思います。

（文責／編集部）

鈴木宣弘（すずき・のぶひろ）
1958年生まれ。三重県志摩市出身。東大農学部卒業後、農林水産省に入省。15年ほど勤めた後、学会に転じる。九州大学農学部教授、九州大学大学院農学研究院教授を経て、2006年から東京大学大学院教授。専門は農業経済学。主な著書に『農業消滅　農政の失敗がまねく国家存亡の危機』（平凡社新書）、『世界で最初に飢えるのは日本 食の安全保障をどう守るか』（講談社+α新書）などがある。

第３章
食の陰謀を知るための用語
（文／編集部）

【遺伝子組み換え表示】（いでんしくみかえひょうじ　遺伝子組み換え食品に関する食品表示基準の一部改正）

２０１９（平成31）年４月25日、食品表示基準の一部を改正する内閣府令が公布され、それによって２０２３（令和５）年４月１日から、遺伝子組み換え食品の表示が変更された。

改正のポイントは「遺伝子組み換えではない」という表示をする基準が、より厳密になったことだ。いままでは、大豆やトウモロコシを使った加工食品に関して、遺伝子組み換え原料と組み換えしていない原料を生産流通の過程できっちり分別して、遺伝子組み換えのない原料だけを使っている場合は「遺伝子組み換えではない」と書くことができた。

ただし、どうしても遺伝子組み換え原料が混ざってしまう場合がある。その場合でもその混入率が5％以下であれば、「遺伝子組み換えではない」と書くことができた。

それができなくなったのだ。厳密になったから、いいのでは？　と考えがちだがそうではない。いままで5％の許容範囲であれば可能だった遺伝子組み換えの原料の分別管理を、完全に0％にしなければならないが、それは非常に難しい。そうなると「遺伝子組み換えではない」と書けなくなってしまう。

そのため、いままで、「遺伝子組み換えではない」と書くために分別管理をしてきた会社が、それをやめてしまう可能性がある。なぜなら、分別管理するには時間と金がかかるからだ。

それによって何が起こるのか。遺伝子組み換えの食品ばかりになってしまう。そして、それで誰が得をするのか。消費者ではない。遺伝子組み換えの作物を作っているグローバルなビッグファーマなのだ。

ただし、いまでも5％以下であれば、分別管理している場合は、「原材料に使用しているトウモロコシは、遺伝子組み換えの混入を防ぐため分別生産流通管理を行っています」、「大豆（分別生産流通管理済み）」の表示は可能である。私たちが豆腐や味噌を買う時は、少々高くてもそれらの表示のある商品を選ぶことをしたい。他にも（分別生産流通管理済み）の代わりに「ＩＰハンドリング」、「ＩＰ管理」の文言も使える。それらを頼りに、食品を見つけたい。

【化学肥料】

（**かがくひりょう**　化石燃料や鉱物資源を化学的に合成して作る肥料のこと）

化学肥料を使っている農作物より、有機肥料のほうが体にいい。しかし、日本も含め世界中の農作物はほとんどが化学肥料に頼っている。それは、コメ、小麦、野菜類であっても変わらない。化学肥料を使うことを前提に品種改良されているからだ。

スリランカでは、化学肥料の過剰使用で地下水汚染や健康被害などを懸念したラジャパクサ大統領が２０２１年４月に全土で有機農業を実践するため、化学肥料や農薬の使用と輸入を禁止した。しかし、それによって、主食の米の収穫量は大幅減、最大の輸出品である茶葉生産も大打撃を受けた。結局、収入が大幅に減少した農民たちによる大規模な抗議デモで、大統領は化学肥料や農薬の使用と輸入禁止の撤廃を余儀なくされている。

現在、その農業に欠かせない化学肥料が高騰を続けている。２０１６、７年頃に比べて、3倍近くになっている。

理由はウクライナ紛争と、化学肥料に欠かせないリン鉱石の産出国であるアメリカと中国が事実上、輸出をストップしたからだ。すでに、アメリカのリン鉱石鉱山は枯渇している。そして、中国はリン鉱石を自国の化学肥料生産のための戦略物資として、友好国にしか輸出しなくなった。

さらに、9カ国に工場やリン鉱石の鉱山を持つ世界的な化学肥料生産メーカーが、アメリカと中国の動向を見ながら、リン鉱石の「国際価格」を操作しているという情報もある。そうであれば、すでに化学肥料の高騰と、農産物の下落によって、危機にさらされている日本の農家にとって、そのメーカーに生殺与奪の権を握られているということになるのだ。

【ゲノム編集】

（**げのむへんしゅう**　酵素の「はさみ」でＤＮＡを切断し遺伝子を書き換える技術）

ゲノムとはすべての核酸上の遺伝子情報を指す。そこには生物の特徴や機能といった情報すべてが集まっている。ゲノム編集とは、ゲノムを構成するＤＮＡを酵素の「はさみ」を使って切断し、遺伝子を書き換える技術だ。

従来の遺伝子組み換えと比較して、ゲノム編集は、安全に、そして的確に遺伝子を編集できる技術と言われている。そのため、農作物や水産業、そして遺伝子が要因となる疾患の治療などに応用が期待されている。

しかし、安全だと言われているが、安全性が確かめられているわけではない。ゲノム編集で、遺伝子を切断したにもかかわらず、そこに違う遺伝子が入り込んだり、想定していなかったタンパク質が作られたりするケースが起きている。

さらに遺伝子を包み込む染色体が破砕されたとする論文が科学雑誌Ｎａｔｕｒｅに掲載された。

そして、この掲載を受けて、ゲノム編集の企業の株価は暴落している。ゲノム編集の危険性がはっきりしてきたのだ。しかし、政府は障害者や子どもたちをゲノムトマトの実験台にすることを進めている。それはなぜなのか、鈴木氏のインタビューを読んでほしい（142頁）。

【種子法の廃止】

（しゅしほうのはいし　2018年4月に廃止された正式名称は「主要農作物種子法」のこと）

種子法（主要農作物種子法）の廃止については鈴木氏のインタビュー（139頁）で背景は書かれているので、ここでは種子法の意義を説明しておきたい。

種子法は1952年5月に制定された法律である。第二次世界大戦後、日本人の主要作物（コメや小麦など）の優秀な種子を、国民の食料確保のためにも、国の公共財として守っていこうということで制定された。

種子は「自家採種」もできるが、同じ品種を何代もわたって作り続けると品質は少しずつ悪くなる。品質を維持するためには、種子自体を育てる必要があるが、その育成にかかる時間は長く、一つの品種を開発するのに約10年、増殖には約4年かかってしまう。それは、農作物を作っている農家の手に余る。

そこで主要な食料であるコメ、麦、大豆の種子を国が管理すると義務づけたのだ。

しかし、日本の国土が南北に長く、地域によって土壌や気候などが違うため、実際に種子を生産するのは、各都道府県にある農業協同組合や農業試験場といった研究機関である。国は、それらの運営に必要な費用を支給することになった。

各都道府県が普及を目指す優良な品種は「奨励品種」と呼ばれる。奨励品種は、農業試験場などの研究機関が育て、それを公的機関の農業振興公社や種子センターが栽培し、採種農家が増産する。こうして栽培された種子が、各農家に供給される。種子法は、地域に根差した日本の主要作物を育ててきたのだ。

初めて種子法廃止が提起されたのは、２０１６年10月、規制改革推進会議農業ワーキング・グループと未来投資会議の合同会合であった。そして、１年半後には、廃止されてしまった。

【第二の緑の革命】

（**だいにのみどりのかくめい**　気候変動などに耐える作物を遺伝子組み換えなどで作る方法）

世界中で、気候変動が高温と干ばつ、集中豪雨が起きて穀物生産に脅威を与えている。この危機に対応するため、干ばつなどに耐えうる品種の開発は重要な課題である。今後、世界における食料の安定生産を可能にするためには、ゲノム情報を活用してストレス耐性のある品種を生むというのが、建前上の「第二の緑の革命」だ。

1960年代に化学肥料と農薬によって農業生産が拡大した「緑の革命」の第二弾を、遺伝子組み換えやゲノム編集で作られた品種で成し遂げようとしている。

しかし、これは非常に危険である。

1970年代、アメリカのモンサント社は除草剤であるグリホサート（商品名ラウンドアップ）を開発し、飛躍的に成長した。その後、グリホサートに耐性がある雑草が出てきたために、ジカンバ系除草剤を開発し、一方で、ジカンバ系除草剤に耐性のある遺伝子組み換えの品種も開発した。この品種は除草剤をまいても枯れない。

これによって、モンサント社は雑草を枯らす除草剤と、その除草剤では枯れない遺伝子組み換えの品種を同時に抱き合わせて売ることができるようになった。

その後、モンサント社はバイエル社に買収されたが、グリホサートに入っている発がん性の物質が原因で、がんを発症する人が続出し、訴訟を起こされている。現在、裁判中であるが、2審の判決は発がん性を知りながら、表示しなかったバイエル社に過失があるとして、原告側が勝利している。

現在、種子農薬の多国籍企業は気候変動に耐えることをお題目に「第二の緑の革命」を推進中だ。しかし、彼らが開発した遺伝子組み換え品種やゲノム編集の作物が、新たな健康被害を生み出すかもしれない。「第二の緑の革命」は、結局のところ多国籍企業の利益追求のためのプロパガンダでしかないのだ。

【ＴＰＰ】（ティー・ピー・ピー　Trans-Pacific Partnership、環太平洋経済連携協定）

太平洋を囲む国同士で関税などをなくして、自由貿易化を目指す経済的枠組みのことをＴＰＰという。交渉はシンガポール、ニュージーランド、チリ、ブルネイ、アメリカ、オーストラリア、ペルー、ベトナム、マレーシア、メキシコ、カナダ、日本が参加し12カ国ではじまった。しかし、トランプが大統領の時にアメリカが離脱したため、発足時は11カ国であった。

アメリカの離脱に伴い、正式名称はＣＰＴＰＰ（Comprehensive and Progressive Agreement for Trans-Pacific Partnership＝環太平洋パートナーシップに関する包括的及び先進的な協定）に変更されている。

ＣＰＴＰＰの最大の特徴は、参加国は分野を問わずに関税を撤廃しなければならないことだ。これは、自動車産業にとっては輸出競争力が増すことになるが、安価な輸入食料品が大量に入ってくることは国内農家に大打撃を与える。そのため、農協が中心となって反対運動を続けたが、結局、敗北した。この時、農水省は関税の撤廃で、一時期は農業が打撃を受けるが、いずれ、農業の体質強化で盛り返すと発表している。結局、自由貿易の名のもとに、経産省による自動車産業保護のため、農業が切り捨てられたのだ。

【デジタル農業】（でじたるのうぎょう　ＩＴ技術を使った農業）

スマート農業と呼ばれることも多く、農業のＤＸとも呼ばれる。デジタル農業とは、ＩＴを活用して農産物の収穫量を増やしたり、品質を高めたりすることだ。農業に限らず、畜産業、水産業、林業でもＩＴを使う。家畜の管理、出荷や、水産資源の管理、森林管理などにＩＴを用いる。使われる技術は衛星情報、人工知能（ＡＩ）、ドローンなどだ。

導入する契機は、就農者の減少や高齢化が進んでいるため、生産の効率化によって人手不足を解消し、熟練技術の可視化による伝承にもＩＴが使えるとされる。

　また、デジタル化による効率化で、農薬や肥料の使用量減による農産物の価値が向上し、海外農産物に対する競争力の強化につながると考えられている。

　しかし、デジタル農業の一番の狙いは、グローバル企業が、農家を土地から追い出し、ドローンやセンサーで管理・制御された農業で、種から消費までの儲けを最大化するビジネスモデルを構築することにある。そして、それらを投資家に売るのだ。

　それを最先頭で主導しているのが、ビル・ゲイツだ。彼は、現在、アメリカ最大の農場所有者になり、マクドナルドの食材も彼の農場が供給しているとのニュースも流れている。

　そして、現在、日本の畜産業は崩壊しつつある。七重苦で畜産業から離れる人も増えている。現代版囲い込み運動で、その後の土地を二束三文で手に入れ、彼らは最大限の利益を得ようとしている。

【日本の農業は過保護】（にほんののうぎょうはかほご）

農業バッシングの一つ

　貿易の自由化が叫ばれた時に、メディアが一斉に言い出した言葉。日本の農業は補助金漬けで、関税は高く、不当に過保護に守られているという意味だ。

だから、国際競争力をつけ、世界と戦える農作物を作るため、規制改革や貿易自由化というショック療法が必要だ、と報道した。そして、多くの国民はそれを刷り込まれてしまっている。

しかし、農業は国家安全保障の一つだから、関税で保護し、補助金を出すのは当たり前で、世界各国はそのようにしている。実際、日本の関税率は11・7%だが、それより低いのはアメリカの5・5%。EUは19・5%で、韓国は62・2%と高く、スイスも51・1%となっている。ノルウェーに至っては123・7%もある。

なぜ、そんなプロパガンダが流されたのか。それは、官邸における各省のパワー・バランスが完全に崩れ、農水省の力が削がれ、経産省が官邸を「掌握」したからだ。

経産省の幹部は、「今は〝経産省政権〟ですから自分たちが所管する自動車（天下り先）の25%の追加関税や輸出数量制限は絶対に阻止したい。代わりに農業が犠牲になるのです」と話している。自動車の輸出を伸ばすため、農業を破壊する陰謀なのだ。

【みどりの食料システム戦略】

（みどりのしょくりょうしすてむせんりゃく　カーボン・ニュートラルも含んだ地球にやさしい農業戦略）

世界各国は地球にやさしい農業を目指して、その新しい戦略を打ち出している。それに遅れじと、日本は「みどりの食料システム戦略」を掲げる。

内容は、2050年までに目指す農業の姿として、農林水産業のCO_2のゼロミッション化（カーボン・ニュートラルのこと）をすすめ、ネオニコチノイド系を含む化学農薬の50％を削減し、化学肥料の使用量を30％低減、さらに有機農業の取組面積の割合を25％（100万ha）に拡大することがうたわれている。

これは欧州が掲げる農薬50％削減、化学肥料の20％削減、有機農業の面積の25％拡大に匹敵するかなり思い切った戦略である。

しかし、「みどりの食料システム戦略」の化学農薬の削減方法として、RNA農薬を使うことが組み込まれている。RNA農薬とはRNA干渉を使って害虫を退治する方法だ。

ＲＮＡ干渉とは、害虫のメッセンジャーＲＮＡを壊してタンパク質の合成を阻害し、遺伝子の働きを抑えて、害虫を退治する方法だ。果たしてこの農薬は安全なのか。ＲＮＡ農薬は遺伝子組み換え技術を使って開発されるから、健康に被害が出ないか、その点の不安は消えない。

そして、ＲＮＡ農薬はバイオ企業による開発が進んでいる。結局、その企業に従属する結果にならないか、懸念は尽きない。

さらにいえば、ゲノム編集の作物についても積極的に進めるとなっている。危険性が指摘され安全性が確保されていないゲノム編集作物を、積極的に進めていいのか疑問である。

「みどりの食料システム戦略」の総論は素晴らしくても、その具体的内容は非常に危険性を秘めているものなのだ。

第4章

環境における陰謀とは何か？

●地球温暖化はなぜ騒がれたのですか？

「サッチャーが原発を稼働させるために、ハンセンの温暖化説に飛びついたからです」

温暖化はしているが、CO_2が原因とはいえない

編集部　環境問題についてお話をお伺いしたいと思います。まず、温暖化についてですが、２０２３年の夏は非常に暑かったと思いますが、地球全体は温暖化しているのでしょうか？

池田清彦氏（以下、池田） 少しだけですが、温暖化はしています。しかし、それが、人間の活動によるものなのか、特にCO_2が原因なのか、本当のところはわかりません。多分違うと思います。

温暖化したり寒冷化したりというのは、周期的に繰り返します。さらに、1940年頃～1975年頃まで、CO_2濃度は上昇し続けましたが地球の温度は下がり続けました。原因はよくわかっていません。CO_2濃度の上昇と気温の上昇は、常にパラレルとは限らないのです。

中世には、太陽の黒点がなくなった時期があって、そのときはものすごく寒くなりました。日本でも飢饉が多く起きましたし、ヨーロッパでも飢饉から人心が荒廃し魔女裁判をやったのはそのころです。

現在は、大分暖かくなって、信頼されているデータによると、この30年間で、0・2度から0・3度、地球の温度は上がっているといわれています。

大したことないと言えば、大したことありません。しかし、温暖化している原因はよくわかっていません。CO_2が原因という説が人口に膾炙していますが、CO_2以外の要因が関係ないと証明されたわけではないのです。

１９９０年代から、この間、コンピュータを使って30年後の予測シミュレーションをしていますが、ほとんど外れています。現在も２０５０年以降の気温を予測して２度とか3度とか上がるとしていると思いますが、実際は０・２度とか０・３度しか上がらないでしょう。もしかしたら、下がるかもしれない。

大気中にあるCO_2は3兆ｔです。年間のCO_2の排出量は３３０億ｔですから、3兆ｔの1％強です。１％だけ、毎年ちょっとずつCO_2を排出しているわけです。その1％が全体に対してどれほどの影響力があるかといえば、普通に考えれば、あまりないと思います。

実際のところ、温暖化ガスとして一番影響のあるのは、CO_2ではなくて水蒸気です。水蒸気が温暖化ガスの5割以上を占めています。それより影響力の少ないCO_2がどれだけ、温暖化に貢献しているのか、ほんとうのところ誰もわかりません。ウソも多くあります。

現在、CO_2も間違いなく増えています。

CO_2は１９６０年に２８０ppmだったものが、現在、４２０ppmもありますから、かなり増えています。そして、それが影響して作物が大変多く獲れるようになりました。

CO_2はそういう意味で世界の飢饉を救うのに貢献しているともいえるわけです。

地球の緑地は増えている！

池田　CO_2が増えて温暖化が進むと作物が獲れないというのは完全なウソです。データでは、ここのところずーっと作物の収穫量は増えています。それから緑地もどんどん増えています。

地球の緑地面積は過去30年で10％増えています。それもサハラ以南のアフリカで増えています。砂漠化が進むというのはウソですね。

もちろん、開発して都市にしてしまったところでは、緑地が減っているところはありますが、トータルで見れば緑地が増えています。

他にも温暖化にはウソがいっぱいあって、ホッキョクグマが危ないというのもウソです。実際には増えていると、カナダの動物学者のスーザン・クロックフォードさんは話しています。実際、カナダでは、ホッキョクグマの個体数が増えていて狩猟禁止を止めました。

それまで、ホッキョクグマの狩猟は禁止していましたが、それによって、ホッキョクグマが増え過ぎてしまって、害がでるようになったのです。現在はホッキョクグマの狩猟は解禁になっています。

ホッキョクグマも氷の上に乗ってアザラシだけを食べているのではなくて、他にもいろいろなモノを食べていますから、温暖化が進むと地球全体の生産量が上がるので、食べ物が少し増えているとも考えられます。

南極の氷は全く減っていないし、北極の氷は増えたり減ったりしています。

海面の上昇は確かにしています。1850年から1900年からコンスタントに少しずつ海面は上昇しています。ただし、1850年から1900年まで、人間はCO_2を出していません。少なくとも1950年頃までは、人間が排出するCO_2の排出量はごく僅かでした。その間の100年は、人間の出すCO_2と海面の上昇は関係ありません。

もちろん、いまも上昇していますが、それがCO_2と関係するかと言えば、関係ないと考えるのが合理的です。

編集部　温暖化しているから海面が上昇しているとはいえるわけですか?

温暖化しているから、CO_2は増えている

池田 温暖化と海面の上昇は関係しています。水温が高くなると水の体積が増えるからです。さらにいえば、CO_2が増えるのも温暖化しているからです。どちらが原因かと言えば、温暖化しているからCO_2が増えているといった方が正しいでしょう。温暖化すると、大気中のCO_2は増えます。CO_2を一番抱えているのは海洋です。大気中にも3兆tありますが、水のなかにはもっとあります。海洋には大気中の約50倍のCO_2が含まれています。

CO_2は地球が寒くなると海洋に吸収されます。ビールの泡と同じです。一方、暖かくなると泡となって大気中に出てきます。だから、温度が上がると大気中のCO_2は増えるのです。このように、CO_2が増えているのは温暖化したからです。

現在、CO_2削減が叫ばれていますが、人間はCO_2を削減することはできません。それもウソといっていいでしょう。削減する一番簡単な方法は経済活動をすべて止めることです。最近でCO_2が減った年は2020年です。新型コロナウイルスでパン

デミックになって、経済活動が停滞しました。

日本は5％強、前年より減っています。11億5000万tの排出量でした。2020年の全世界の排出量は315億t、2019年が334億tですから、約6％強減っています。そして、2021年の全世界の排出量は330億tでした。ほぼ戻っています。日本は2％弱増えています。

毎年、人類は330億tのCO_2を排出しています。ところが、コロナ禍で経済活動が停滞したら、CO_2の排出量が減ったのです。だから、CO_2を減らしたかったら、経済活動を停滞させればいいのです。

CO_2というのは経済成長と連動しているので、成長する限り何をしてもCO_2は増えます。そもそも、経済活動をする限り、CO_2は増えます。

太陽光発電を作ってもCO_2は増えます。太陽光発電をすればCO_2は減ると言いますが、太陽光発電のパネルを作ることで、かなりのCO_2を排出しています。確かに太陽光発電自体はCO_2を排出しませんが、パネルを作るときは排出します。

以前は、太陽光発電を作るにあたって排出された量は、太陽光発電が始まれば3年で元が取れるといわれていました。しかし、実際は、7年ほどかかると言われています。7年間、太陽光発電が稼働してCO_2を減らし続けなければ、作ったときに排出した量に達しないということです。

さらに、あまり太陽光が当たらないところにパネルを設置すると、元を取るのに10年とか15年もかかると言われています。15年も経ってしまうと、太陽光発電の寿命が来てしまいます。そして、その太陽光発電の廃棄をする場合でもCO_2を排出しますから、結局、太陽光発電でCO_2の排出量は減りません。

太陽光発電にしろ、風力発電にしろ、EV車にしろ、稼働しているときは排出しませんが、これらのものを作るのには、かなりの量のCO_2を排出します。EV車のバッテリーも同じで、作るのも、かなりのCO_2を排出しますし、廃棄するときもCO_2を排出します。だから、CO_2は減らないのです。

温暖化説を利用したイギリス首相のサッチャー

池田　なおかつ、CO_2の年間の排出量は大気中にあるCO_2の1%ほどです。それを、もし、半分に減らしたとしても、大気中の0・5%が減るだけです。それだけで、どれだけ効果があるのかといえば、ほとんどありません。
これらのことを考えていくと、CO_2を減らすというのはかけ声だけのインチキです。

なぜ、このようなことを始めたかということはわかっていて、アメリカの穀倉地帯が猛暑と干ばつに襲われた1988年が、IPCC（Intergovernmental Panel on Climate Change＝気候変動に関する政府間パネル）が始まった年ですが、その年に、アメリカ航空宇宙局のハンセン博士がアメリカの上院公聴会で地球が温暖化していて、猛暑と干ばつになっていると証言し、それにイギリスのサッチャー首相が飛びついたからです。

1986年、チェルノブイリの原発事故があって、ヨーロッパはしばらく原発アレルギーがありました。しかし、イギリスにはエネルギーがないので、サッチャーは原発を進めたかったのです。だから、このハンセン博士の言葉に乗っかって、「炎熱地獄になるよりも原発の方がまし」と宣伝するためにIPCCを作って、人為的温暖化説を広めました。こういう経緯があるので、IPCCは原発反対とは一言も言っていません。

しかし、サッチャーは賢くも地球温暖化よりも地球寒冷化の方がまずいことに気がついて、再生可能エネルギーより、化石燃料を燃やした方がよっぽどましだと、主張がかわりました。

サッチャー同様、化石燃料を使わないと経済が停滞するので、最初のうちは反対していた人たちも、逆に、もしかするとＣＯ$_2$削減論は、経済を回すために使えるんではないかと気がついたのです。

それで、ＣＯ$_2$を見てくれだけでも減らすという技術を開発して、その技術を売り込んだのです。さらに、それに税金をつぎ込んで、それで、企業が儲けようと始めたわけです。

それが、いまの太陽光発電パネルであり、風力発電であり、ＥＶ車です。それから、バイオ燃料もそうだし、化石燃料を燃やしてもＣＯ$_2$を回収する技術とかも生み出されました。

彼らは、技術を開発することによって金が儲かるから始めたのですが、その金儲けの大義名分はカーボンニュートラルでした。ＣＯ$_2$を減らして、地球温暖化を阻止するという大義名分です。

しかし、実際は、CO_2は減らせなかったし、これからも減らせる見込みはありませんが、それによって莫大な税金を掠め取って儲けたのです。

CO_2が減らないことは人類にいいこと

池田 ただし、減らせる見込みがないことは、人類にとって、逆にとってもいいことで、減らすことができると実は大変です。1960年の大気中のCO_2の濃度は280ppmでした。これが150ppm以下になると、人類は絶滅します。

編集部 なぜですか?

池田 地球上の大部分の植物は生育できる限度が、150ppmなのです。それ以下になると光合成量より呼吸量が大きくなり生育できなくなり、植物がみんな枯れてしまいます。そうなると食べるものが全くなくなりますので、人類は生きていけなくなります。

1960年のCO_2の濃度は280ppmでしたが、150ppmにかなり近づいていました。しかし、現在は420ppmですから、かなり改善してきているのです。これによって、緑地が増えていることは先にお話ししましたが、CO_2が増えることはとってもいいことです。

CO_2が増えたときは生産性が高くなります。歴史的にCO_2濃度が高かった時はジュラ紀から白亜紀で、恐竜が歩いていたころです。いまの4〜5倍ぐらいCO_2の濃度が高かったころです。だから、植物も繁茂して成育力が強いから、食べても、食べてもすぐに生えてきます。

いまでも、ビニールハウスなどで、果物や植物を生産していますが、あそこにはCO_2をかなり入れています。石油ストーブなど燃やして、CO_2を出していると思いますが、あのハウスのなかは1000ppmぐらいあります。

これによって植物が生育します。これぐらいの濃度があって温度をあげれば、かなり生育が進みます。

現在、CO_2の濃度が上がり、温暖化が少しですが進んでいることで、北海道でお米がたくさん獲れるようになりました。作物の品種改良もありますが、新潟とほぼ匹敵するぐらいです。「ゆめぴりか」などが銘柄として知られるようになりました。

もし、1960年代くらいにCO_2の濃度が下がると、一部の作物が獲れなくなって、飢饉が起きる可能性があります。

だから、CO_2を減らすといって儲けていますが、実際のところは、減らすことができないことで、人類は助かっているのです。もし、本当にCO_2を減らすことができる技術が登場したら、逆に飢饉が起きて、人類は危機に陥ります。

そうなると、CO_2を減らした責任問題が、その技術の開発者に問われることになります。しかし、現在、CO_2を減らすといって実際には減らせないから、問題になっておらず、すごく稼げるわけです。

そうやって稼いでいるのが、現代のグローバル・キャピタルです。日本はそれに騙されて、年間5兆円も温暖化対策費を使っています。

いままで述べてきたように、CO_2は減らせないし、温暖化は何が原因かもよくわからないのに、CO_2を減らすために、多くの金を費やすのはバカげたことです。そんなことに使うより、実際に温暖化によって、被害を受けるようなところに、その対策費として使うべきだと思います。

海面が高くなって、洪水にみまわれやすいところに堤防を作るとか、河川の整備をするとか、そのようなところにお金を使うべきで、CO_2を削減するという政策は、一部の企業が儲かるだけで、国民は税金を払わされるだけです。

台風は増えていない！

池田　ちなみに、気候変動によって台風が増えたというのはウソです。

編集部　ウソですか？

池田　ウソです。１９６０年前後から80年代にかけては、かなり大きな台風が来ました。伊勢湾台風もそうです。１９５９年９月に来た台風です。その台風の最低気圧は８９５hpaです。現在、大きい大きいと言われている台風でも９３０hpa弱ぐらいで、９００hpa以下の台風など来ていません。

確かに今年の夏は暑かったけど、それはエルニーニョ現象が原因で、CO_2の量とはほとんど関係ありません。来年は暑くなるかどうかはわかりませんし、一方、昨年の北米は記録的な寒波が来ていました。

暑い、寒いというのは、あまりCO_2と関係しませんし、人為的にコントロールできるものではありません。そこにお金をつぎ込んでも一部の企業が儲かるだけです。温暖化あるいは寒冷化に、私たちは適応するしかありません。自然に人間は逆らえません。一回、でかい火山が爆発すると、気温はすごく下がります。1991年フィリピンのピナトゥボ火山が爆発して、それからしばらく寒冷化して、1993年、日本は冷害に見舞われました。

私は、1993年にオーストラリアに住んでいて、1994年に日本に帰ってきたら、お米がなくて中国米とタイ米で凌ぎましたよ。その原因がピナトゥボ火山による冷害です。1994年の夏は東北地方の気温は場所によっては、平年より2度ぐらい下がったと思います。

火山も含めて、自然環境によって、気温は上がったり下がったりするので、不可能な予防策にお金を使うより、それによる被害を最小限に食い止める方策にお金を使う方が正しいと思います。

編集部　そうですね。

池田　だから、CO_2を減らすために太陽光発電などを推進するという言葉に騙されてはいけません。そもそも、太陽光パネルは、自然環境に悪影響を与えます。15年も経てば、太陽光パネルは使い物にならなくなり、撤去するか、再敷設せざるを得なくなります。古いパネルはゴミになるだけです。

太陽光パネルには、カドミウムや鉛、セレンなどの有害な物質が入っていて、それを処理しないまま放置していたら危険です。それを処理するためには、かなりの費用が掛かります。さらに、さきほど話したようにそれを処理することによって出るCO_2も半端な量ではありません。

ただし、CO_2が出ても本当は問題ないので、太陽光発電をするより、石炭を燃やすのが一番安全です。ただし、石炭も化石燃料ですから、いずれ枯渇するので、それにたよらないエネルギーの開発が必要になるでしょうが、いまのところは石炭が一番安全です。

まあ、核融合が実用化できれば、エネルギー問題は解決しますが、いつできるかはまだわかりません。

アメリカ共和党の支持者はCO_2悪者説を信じていない

編集部　CO_2削減の掛け声に対して、私たちはどのようなスタンスを取ればいいでしょうか。

池田　いまや、日本ではCO_2削減がおかしいと言っても、ほとんどの大手メディアは相手にしてくれません。小学生でもCO_2が温暖化の原因だと洗脳されて、そう信じています。

しかし、アメリカの共和党支持者のほとんどは「CO_2温暖化原因説」を信じていません。あんなものはウソだと思っています。

2024年11月の大統領選でトランプが勝ったとしたら、アメリカは世界のCO_2削減の枠組みから離脱することになるでしょう。そうなれば、現在のCO_2削減の動きはどんでん返しになると思います。

しかし、EUはどうしようもありません。化石燃料はないので、今後、エネルギーでのヘゲモニーを握ろうと思ったら、CO_2削減の動きを進めるしかありません。そのためにIPCCを利用しているわけです。EUの陰謀ともいえます。

ただし、ここにきて、ロシアとウクライナの紛争で、EUはロシアからの天然ガスが入らなくなりました。ドイツは焦って、石炭火力発電や、原発を稼働させることを検討しています。フランスはもともと原発を稼働させていましたから、その政策を進めるでしょう。

背に腹は代えられなくなっています。儲かるときはCO_2削減の動きを進めますが、自分たちがニッチもサッチもいかなくなれば、CO_2削減など、どっかに吹っ飛んでしまいます。

それでも、ドイツには褐炭というあまり質の良くない石炭が取れますが、日本は何もありません。石炭もほとんど取れませんし、自然エネルギーもそれほどでもありません。地熱ぐらいが一番利用可能でしょう。

ただし、地熱はあまり儲からないらしくて、一生懸命やっている企業がありません。

それに、EV車も、大手メディアはいいことばかりしか報道しませんし、太陽光発電もいいことばかりしか報道しませんが、これらによって、電気料金がものすごく上がります。それに、EV車が普及すると、大量の電気が必要になります。

自然エネルギーのバックアップに化石燃料が使われる

池田 電気は、どのように作られるかというと、自然エネルギーか化石燃料か原発で作るわけです。しかし、自然エネルギーだけに偏ると、困った問題が起こります。もし、太陽光発電が日本のエネルギーの半分も占めていて雨が3日も降らなかったら、日本のエネルギーは止まってしまいます。少量ならまだしも大量だと、そうなります。

これを防ぐには、そのときのためにエネルギーのバックアップが必要になります。バックアップで一番簡単なのは化石燃料を焚くことです。だから、太陽光のパネルをいっぱい建てれば建てるほど、そのバックアップに化石燃料の発電所が必要になるのです。その分、CO^2を排出します。

風力も同じです。コンスタントに風が吹いていたらいいですが、もし、風が吹かなかったら発電はできません。さらに、巨大な台風が来て、風車が飛んでいってしまうようなときは風車を止めるしかありません。

自然エネルギーというのは、非常にコントロールしにくいので、結局、バックアップとして化石燃料の発電所が必要になるのです。

これは、エネルギーが足りないという場合ですが、逆に多すぎるときも問題になります。晴天が続きすぎて太陽光発電の発電量が多くなると、発電所の許容量を超えてしまい、パンクしてしまいます。だから、太陽光発電を止めざるを得なくなります。

結局のところ、自然エネルギーは、さきほどいいましたが、人間がコントロールできないので、賢い発電方法ではありません。

温暖化でシカが増えている。その対策が大切

編集部　話しは変わりますが、今年、クマの被害が多くなっていますが、これは温暖化に関係するのでしょうか？

池田　クマの活動と温暖化は関係ないと思います。その時々の山林や里山でのクマの食料の増減と里山の荒廃が原因でしょうね。放棄された果樹を求めて人家の近くに来るのでしょう。それからクマが人間を恐れなくなったことも大きいと思います。

編集部　これこそが自然環境問題ですね。

池田　クマは食べ物を求めて里に下りてくる。それから、シカがものすごく増えてます。現在の日本の森林生態系にとって、これが最大の問題です。シカが下草を食べてしまって森林が荒廃しています。

だから、現状ではシカを大幅に駆除したほうがいいと思います。本当にシカが日本全国、増えすぎていて、下草を食べるために山が乾燥して、昆虫も減っています。

編集部　なぜ、シカが増えているのでしょうか？

池田　これは、温暖化と関係している部分もあります。シカは雪深いところでは住めません。しかし、雪の量が減ってきて、いままでいなかったところでシカを見ることができます。昔は、シカは尾瀬などには入っていきませんでしたが、雪の量が減って、尾瀬でも見ることができます。

もう一つは狩猟をする人が減ったということです。戦後しばらく、シカの保護策をとって、シカが増えすぎたということもあります。昔は、オオカミがシカを食べていたといわれていますが、オオカミがいなくなったので、シカを食べる動物が日本にはいません。しかし、オオカミが絶滅して100年以上経っているので、オオカミを導入するのも現実的ではありません。近い将来、シカが増え過ぎて、クラッシュを起こす可能性はあります。食材として利用するなど有効な対策が必要でしょう。

健康問題も環境問題の一つ

編集部　話しが変わりますが、温暖化以外で、環境問題で日本が外国から仕掛けられている策謀というのはあるのでしょうか。

池田　環境問題というのは健康問題の側面もありますし、安全や未来の人類の安心問題でもあります。安全や健康や安心というのは、人々にとって関心の高い問題なので、「○○をしないと死んでしまいますよ。危ないですよ」といって、人々を誘導するのが、これらのビジネスの手口です。

ワクチンもその一つと言えます。「ワクチンを打たないとコロナになって死んでしまいますよ」もそうです。ワクチンも効くのか効かないのか論争がありますが、私は今の新型コロナワクチンはあまり効かないと思います。

新型コロナのワクチンは、インフルエンザなどの他のワクチンに比べて、副反応、いわゆる副作用が非常に高いということは間違いありません。だから、以前であれば、もう少し丁寧に治験をしないと許可が出ませんでした。

しかし、すぐに許可が出てしまうところを見ると、やはり、パンデミックを煽って、製薬会社が儲けようとしていると思いますね。

日本で一番の問題は健康診断です。あるいは人間ドックですね。

健康診断をしても役に立たないことは科学的に証明されています。アメリカやEU

では企業に健康診断を義務付けている国はありません。

アメリカや欧州では、何回か、数万人レベルの調査が行われています。一方に健康診断を受けない人々、一方に健康診断を受ける人々、その両方を5年から10年間観察し死亡率を比較しても差が出ませんでした。

だから、アメリカもEUも理由がないので、企業に健康診断を義務付けていません。しかし、日本ではそのような情報が隠蔽されています。日本には大企業やグローバル・キャピタリズムを批判し、暴くような大手メディアがないので、やすやすと日本人は騙されているのです。

いくら、このことを僕たちが批判しても、マイナーな雑誌には出るけれど、NHKのニュースや大手メディアは取り上げてくれません。「健康診断など無意味ですよ」と、どこも報道しません。他の西側諸国と比べて、日本は情報が隠蔽されています。

科学リテラシーを発揮することが大切

編集部　大手メディアが隠蔽をしたり、大企業やグローバル・キャピタリズムの策動に乗っかった報道をしたりしますが、そういうウソに騙されない方法はあるのでしょうか。

池田　テレビをあまり観ないことだね。私はほとんどテレビを観ないので、変な報道に惑わされることはありません。それに、ちゃんとした情報源を引っ張ってくるということが大切です。そういう能力を身につける必要があると思います。

そのような能力というのは、科学リテラシーと関係しています。CO_2が悪者になっていますが、CO_2が増えれば、光合成がより活発になるというのは、誰もが知っているはずです。それなのに、CO_2が増えると、地球がおかしくなってしまうと思い込んでしまうのは、科学リテラシーをしっかり身につけていないからだと思います。

さきほど言いましたが、CO_2がいまの4～5倍もあったジュラ紀から白亜紀の頃、地球の生態系は壊滅したのかといえば、していません。壊滅するどころか、生物の多様性はいまより非常に豊かだったわけです。巨大な恐竜もいたのです。そのことを考えても、CO_2が増えて地球が壊滅するかどうか、すぐわかると思います。

CO_2が増えて、どれぐらい温度が上がるのか、ということも、この当時のことを考えればわかるはずです。恐竜のいた白亜紀に灼熱地獄だったかといえば、そんなことはありません。

ここ30年で、気温は0・2度上がっています。確かに温暖化は進んでいます。しかし、このペースで上がって300年経っても、気温は2度しか上がりません。2度です。確かに暑くはなりますが、2度上がったからといって、人類が絶滅するほどになるかといえば、そんなことはありません。逆に北極圏とか亜寒帯は暖かくなって住みやすくなるでしょう。

確かに、熱帯はより暑くなるので、住みにくくなるでしょうが、地球全体を考えれば、より住みやすいところが増えると思います。また、雨が増えるでしょうから、植物がより生育し、食べるものも増え、動物にとっても、人類にとっても、より住みやすい環境になり、もしかすると、壊滅どころかバラ色の世界になる可能性もあります。

編集部　科学リテラシーをしっかり持って考えれば、おのずとCO_2悪者説には騙されなくなるということですね。

池田　そうです。だから、CO_2削減にあまりこだわらないことです。結局、CO_2削減を掲げるのは、それで金儲けをしたい連中がいるだけのことです。

金儲け自体は悪いことではないですが、国民の税金のかなりの額を、CO_2削減につぎ込むくらいなら、繰り返しますが、温暖化で本当に困ったことが起きるのであれば、それに対する適応策を考えた方がいいと思います。適応することが大切です。

あまりにひどい台風が来るのであれば、それに耐える構造の建物や、それを避ける、あるいはブロックする方策を考えるとか、そういうことに使うべきです。

自然災害を予防するのは非常に大変です。特にCO_2を減らすなどということはほとんど不可能です。だから、何か起きたら、それへの対応策にお金は使うべきなのです。

石川の大地震がありましたが、CO_2削減で企業に儲けさせるなら、地震で被害に遭われた方の救済や対策に、もっとお金をつぎ込むべきです。

意味のないCO_2削減にお金を使うより、一般社会をもっと良くする方策にお金を使った方がいいと私は思いますね。

それから、CO_2悪者説に騙されるのは、教育の問題もあると思います。小学校の授業で、常にCO_2悪者説を吹き込まれていれば、いやおうなく、信じてしまいます。

教師も、基本的に文科省の言われた教育をせざるを得ないですから、結局CO_2悪者説を教えるしかありません。

だから、そう教えられている教育に対して、疑問を持てるようにならないといけないとも言えます。しかし、なかなか「地球温暖化なんてウソだ」なんて、学校では言えません。生徒が言ったら、教師に怒られるでしょう。

それが言えるような教育にならないと、日本全体は変わらないかもしれません。

CO_2が地球温暖化の元凶だなんて、思っている人が一番多いのは日本だと思います。アメリカの共和党支持者は石炭をどんどん燃やせと言っています。間違いなく、アメリカの半分はCO_2元凶説を信じていません。EUも環境派の一部しか、CO_2元凶説を信じている人はいません。

そういう意味では、日本人は素直すぎますね。

日本には水田という持続可能な誇れる農業がある

編集部　地球温暖化やSDGsというEUの策謀でなく、日本の環境を考える場合に、本当に大事なものとは何でしょうか。

池田　持続可能な農業が日本にあるということを知ることです。なんでもやりすぎると問題が起こります。どのあたりまでが、大丈夫なのかということを考える必要があります。何でもやりすぎると戻らないということがあるので、その限度がどこにあるかということを知ることです。

例えば、ある土地で、作物を作っていた場合、ある年1万t取れました。翌年も1万t取れました。その翌年も1万t取れましたと続いていくことが大切です。

そのためには、どれだけ肥料をいれて、どれだけ水を撒いて、どれだけ収穫するかということと見極めて、毎年、毎年、それを続けていくことが大切です。

しかし、ある時、収穫する量を倍にしたいと思って、肥料を倍にしたとすると、肥料は窒素肥料なので、その窒素が土地に集積していきます。それがうまく回っていく場合もあるし、行かない場合もあります。それはわからないのです。それを、しっかり自覚して、回っていくようにしていく知恵を身につけることが大事なのです。

アメリカの農業は、広大な土地にトウモロコシや大豆や小麦畑を作って、そこに地下から水をくみ上げてスプリンクラーで撒きます。だから、水のないところに水を撒くから、大量のトウモロコシや大豆や小麦を収穫することが可能になります。

しかし、それは永遠にはできません。なぜなら、水は化石燃料と一緒で、使ってしまったら元に戻りません。地下からくみ上げた水がなくなってしまったら終わりです。

さらに、水には塩分が含まれているので、水が蒸発すると塩分が土地に残ります。それを毎年繰り返していくと塩害が生じて、使えない土地になるのです。

だから、サスティナブル（持続可能）にしていくのであれば、地下から水をくみ上げるのではなく、天水でやるか、どこからか水をひいて干上がらせない範囲で農業をするのが大切です。

日本の水田がよかったのは、塩害がなかったことです。日本の水田は、水を張って収穫した後、水を流してしまいます。水をそのまま田んぼに溜めていると、蒸発して塩分が土地に残ってしまいますが、水に溶けている状態で流してしまえば塩分は残りません。

だから、日本の農業はサスティナブルなのです。しかし、小麦の栽培は乾田で、水を撒いてやる農業です。天水なら塩分がなくていいですが、そうでない場合は、いずれ塩害が発生して土地が使えなくなります。

歴史的にも、メソポタミアから始まって、アメリカの農業まで、最終的には塩害が出て、土地が使えなくなってしまっています。

そういう意味で、水田というのは、すごくいい農業だったし、日本の里山というのはすばらしいのです。そのような、持続可能な農業を日本が行ってきたということに誇りを持って、これからも米作りを大切にしていくことが必要だと思いますね。

（文責／編集部）

池田清彦（いけだ・きよひこ）
1947年、東京生まれ。生物学者。東京教育大学理学部生物学科卒。理学博士。山梨大学教育人間科学部教授、早稲田大学国際教養学部教授を経て、現在、山梨大学名誉教授、早稲田大学名誉教授。生物学、科学哲学、環境問題、生き方など、幅広い著書を持つ。近著に『SDGsの大嘘』（宝島社新書）、『驚きのリアル進化論』（扶桑社新書）、『食料危機という真っ赤な嘘』（ビジネス社）などがある。

第4章

環境の陰謀を知るための用語

（文／編集部）

【地球にやさしい】

（ちきゅうにやさしい 地球温暖化を引き起こさないための標語）

温室効果ガスを出さないための標語が「地球にやさしい」である。しかし、地球にやさしいものが本当にやさしいのか、問うてみる必要がある。

CO_2は温室効果ガスである。そのためCO_2を排出しないことが温暖化対策といわれている。しかし、現代は第3氷河期であり、地球全体が冷えている時代である。もともと地球ができて数億年は大気の95%がCO_2であった。それが、現在、0・04%にまで減っている。であれば、もう少しCO_2を増やしてあげた方が地球にやさしいと言えるのではないだろうか。

現在、世界でも日本でも太陽光発電が地球にやさしいクリーンなエネルギーであると、もてはやされている。しかし、本当に太陽光発電は地球にやさしいのであろうか。

少なくとも、地上に住む希少動物にとっては、やさしくない。自然界においては、人間も含めて（人間が作ったものも含む）、太陽光の奪い合いをしている。

動物も植物も太陽光が必要である。人間が太陽光発電で太陽の光を奪ってしまったら、他の動物や植物は絶滅することもある。果たしてそれが地球にやさしいのであろうか。

それは、「人間にやさしい」の間違いではないだろうか。地球にやさしいという言葉には、やはり欺瞞と陰謀を感じざるを得ない。

【風力発電】（ふうりょくはつでん　風の力を利用した発電）

「地球にやさしい」のところで太陽光発電のもつ「地球（地球生物）にやさしくない」側面を解説した。それでは、風力はどうなのだろうか。

風力も同じである。木々は風を利用して体を冷やしている。特に動くことのできない木々は風がとても大切だ。他にも、たんぽぽをはじめ多くの花々は風を利用して種子を飛ばしている。鳥たちは風を利用して空高く飛び上がる。

その風を人間が利用したら、どうなるか。少しぐらいならいいと思っているだろう。しかし、少しの風で生き抜いている生物は多くいる。人間が、気が付かないだけだ。

太陽光発電、風力発電、水力発電、すべて自然の力を利用している。それらを使うことは、他の生物の生きる糧を奪っていることと等しい。

「地球にやさしい」が「地球の生き物にやさしい」ということであれば、地上のエネルギーを使うのではなく、地中深くにある石油や石炭などの化石燃料を使ってあげる方が、本当は地球の生き物のためになる。

それにもかかわらず、代替エネルギーをクリーンエネルギーと言ってもてはやすのは、地球環境ビジネスで利益を上げようとする連中のプロパガンダなのだ。

【バイオ燃料】（ばいおねんりょう　原料にバイオマスがもちいられた燃料）

バイオ燃料とは、原料に「植物や動物などの生物資源（バイオマス）」が用いられた燃料のことをいう。一般的には、バイオ燃料であれば、動植物が原料になっているため、大気中の二酸化炭素を増やすことのないクリーンなエネルギーだという。

それは、バイオ燃料から発生する二酸化炭素は、もともと大気中にあった二酸化炭素だからだ。そのために、「カーボン・ニュートラル」を実現しようとする企業や市町村自治体はバイオ燃料に注目した。

しかし、バイオ燃料でも木質バイオマスに関しては、イギリスのシンクタンク、王立国際問題研究所が化石燃料と温室効果ガス排出量の比較をしたところ、木質バイオマスの方が多かったことを明らかにした。しかもCO_2の約25倍の温室効果があるとされるメタンガスが、ほかの30倍もあったのだ。

そのため2021年2月には、500名の科学者がアメリカのバイデン大統領や日本の菅首相（当時）に対して森林伐採と燃焼への補助金を停止するよう表明している。

北米で木質ペレットにされている木は、圧倒的に全木丸太だ。アメリカ森林製紙協会の調査によると、米国南部で生産される木質ペレットのうち、林地残材から作られるものは12％しかない。原料のほとんどが残材ではなく、製紙原料にもなる木材なのである。

なぜ、そうなのか。それは補助金が出るからだ。地球温暖化対策で国から補助金が出る。それは日本も変わらない。日本でも、「木質バイオマス　補助金」とネットで検索すれば、何千万円もの補助金があることに驚くであろう。

そもそも、木を燃やせばCO_2が出る。それを、木が成長している過程でCO_2を吸収しているから「カーボン・ニュートラル」だとして、多額の補助金を用意したところに、地球温暖化ビジネスのうさん臭さがあるのだ。儲けのために作り出した虚構に過ぎない。

木質バイオマスに補助金を出すのであれば、石炭ももとをただせば植物なのだから、もっと石炭にも大量に補助金を出すべきなのだ。

【環境ホルモン】（かんきょうほるもん　「内分泌かく乱作用」を起こすホルモンのこと）

環境ホルモンは農薬などと一緒に問題化されたため、農業環境を扱う研究所は注意深く観察している。その一つである農業環境技術研究所のホームページから環境ホルモンの説明を見てみよう。

「環境中にあって、私たち人間を含めた生物の本来のホルモン作用をかく乱する物質を一般に『環境ホルモン』と呼んでいます。

１９６０年から１９７０年代頃にかけて、これまでの医学、生物学、毒性学では説明が困難な現象が人や野生生物に見られるようになってきました。これまでに魚類、は虫類、鳥類といった野生生物の生殖機能異常、生殖行動異常、雄の雌性化、孵化能力の低下の他、免疫系や神経系への影響等が多く報告されてます。

その直接の原因が作用メカニズムまで明らかにされているものではありませんが、異常が認められた生物の生息環境中に存在するＤＤＴ、ＰＣＢ、ＴＢＴ、ダイオキシン、農薬などの化合物への曝露との関係、また一部にはノニルフェノールによる影響も指摘されています」

そのように説明しながら、「ホルモンの作用（内分泌かく乱作用）に関しては、これまで私たちが持っていた『ものさし』では測定が困難あるいは不可能であるため、これまでの検定法を改良するか、または新しい検定法を開発する必要があります」としている。結局わからないのだ。

それでも、メダカのメス化を促す物質としてノニルフェノールの実験結果を載せている。

その実験を見るかぎりノニルフェノールが環境ホルモンであるかのようにも読めるが、実験でメス化しただけである。それも、自然界ではありえない濃度の高い実験で行われたものだ。人間には全く影響がない。

１９９８年に環境庁（当時）が環境ホルモンの候補として67種類の物質を上げたが、現在、それは取り下げられている。そして、現在、専門家は環境ホルモンという言葉を使わない。内分泌かく乱物質と呼んでいる。結局物質である。人間の内部から作られるホルモンとは全く違うのだ。

【GX】（ジー・エックス Green Transformation グリーントランスフォーメーション、グリーン変革）

GXは政府がぶち上げた政策だ。環境省はGXを、「産業革命以来の化石燃料中心の経済・社会、産業構造をクリーンエネルギー中心に移行させ、経済社会システム全体の変革」と定義する。

具体的には何を指すのか。内閣官房が主催する「GX実行会議」で話されていることを見てみよう。大きくは４つ。

一つ目はエネルギー政策。ウクライナ紛争もあり、石油・天然ガスの供給が今後も不安定なので、それに代わる再生エネルギーを求めるとなっている。で、何があるのか。原子力発電ということになる。

二つ目は10年間で150兆円の環境をめぐる市場を作り出すこと。そのために、国の資金だけでなく、民間からも「GX経済移行債（仮称）」を募って財政的基盤を作る。そして、環境にかかわりそうな会社が440社あるので、それらの企業に「GXリーグ」という排出権取引に参加させて、環境対策を積極的に行わせる。

さらに、世界のESG投資を呼び込むとしている。ESG投資とは環境・社会・コンプライアンスに配慮している企業へ重点的に投資することだ。

なんてことはない、150兆円の市場を作って、その金を外国の投資にゆだねるということだ。そのための壮大な構想に過ぎない。絵に描いた餅に終わるだろうけれど、それでも、一番確実なのは原子力発電の稼働を、より進めていくことだ。

3・11からもうすぐ13年、東日本大震災の教訓は風化してしまうのだろうか。

【SDGs】（エス・ディー・ジーズ　Sustainable Development Goals　持続可能な開発目標）

ＳＤＧｓには17の目標があり、建前上は素晴らしいが、なにをすればいいのかよくわからない、というのが本音だろう。それもそのはず、単に各国の思惑を折衷したものに過ぎないからだ。

ＳＤＧｓが策定される前には、国連はミレニアム開発目標（Millennium Development Goals-MDGs）に取り組んできた。これが、ＳＤＧｓの基礎にある。

ＭＤＧｓは開発途上国を対象にし、その国から極度の貧困の撲滅、初等教育の普及、ジェンダー平等と女性の地位の向上、乳幼児の死亡率の削減、妊産婦の健康改善、エイズ・マラリア・その他の疾病の蔓延の防止、環境の持続可能性の確保、開発のグローバルなパートナーシップの推進、この8つの目標が設定されていた。

そして、そのミレニアム開発目標は、開発途上国の貧困が減り、学校に通える子どもの数が増えたりするなどで、成果が見られて終了した。

その成果を踏まえて国連が作り出した目標がＳＤＧｓの17項目だ。基本的に開発途上国の目標が基礎であるが、すでに達成している目標だから、以下の17の目標は多くの国が達成している。

1．貧困をなくそう　2．飢餓をゼロに
3．すべての人に健康と福祉を　4．質の高い教育をみんなに
5．ジェンダー平等を実現しよう　6．安全な水とトイレを世界中に
7．エネルギーをみんなにそしてクリーンに　8．働きがいも経済成長も
9．産業と技術革新の基盤をつくろう　10．人や国の不平等をなくそう
11．住み続けられるまちづくりを　12．つくる責任 つかう責任
13．気候変動に具体的な対策を　14．海の豊かさを守ろう
15．陸の豊かさを守ろう　16．平和と公正をすべての人に
17．パートナーシップで目標を達成しよう

この17の内、日本が確実にできていないというのは、ないのではないだろうか。それよりも、ミレニアム開発目標（ＭＤＧｓ）に入っていないのは何かを見てみると、ＳＤＧｓを作ったものの意図が見えてくる。それは、

7．エネルギーをみんなにそしてクリーンに　13．気候変動に具体的な対策を

14. 海の豊かさを守ろう　15. 陸の豊かさを守ろう
結局のところ、地球温暖化対策と再生エネルギーの推進なのだ。

【京都議定書】（きょうとぎていしょ　COP3の京都で採択された地球温暖化対策の議定書）

1997年に開催された地球温暖化京都会議（COP3）で、日本にとって非常に不利な内容で採択された議定書。

【炭素税】（たんそぜい　CO_2排出量を抑えるための環境税の一種）

「炭素税」は、石炭・石油・天然ガスなどの化石燃料に、炭素の含有量に応じて税金をかけて、化石燃料やそれを利用した製品の製造・使用の価格を引き上げることで需要を抑制し、結果としてCO_2排出量を抑えるという経済的な政策手段。

しかし、石油や天然ガスは、発電の基本燃料であるため、公共料金も値上がりして、すべての国民に負担を強いることになる。現在、ウクライナ紛争で燃料の高騰に伴い、公共料金が上がっている状況では、二重に国民に負担を強いることになってしまう。

そのため2023年度の炭素税の導入は見送りになった。しかし、燃料の価格が落ち着けば、また炭素税の導入が検討されるだろう。

第二部　陰謀の見抜き方

第5章

世界の陰謀の見抜き方

ここでは、第一部に登場した深田萌絵氏に再度、話を聞く。習近平のバックにいる浙江財閥を暴き出し、その陰謀を明らかにしてきた、彼女のノウハウに迫る。どのように裏を読み、どのように陰謀を暴いてきたのか。

深田萌絵氏（ITビジネスアナリスト）に聞く！　陰謀の大嘘を見破る方法とは？

●世界の裏を読むための方法はありますか？

「そのニュースで誰が儲かるのかを考えると、裏が読めるようになります」

私の記事のスタンスは、誰も触れていないところを書くことです

編集部　深田さんは、他の方にはない視点で、裏の動きも読んで、記事を書かれたり、話されたりしていますが、その情報をどこから手に入れているのでしょうか。

深田萌絵氏（以下、深田）　まず、私の記事へのスタンスからお話しします。私の基本

的スタンスとして、すでに他の方が書いたことや解説したことを、同じ切り口でしか書けないのであれば、記事は書かないことにしています。

他の方が優れた記事を書いているところに、私が記事を書いても二番煎じになります。だから、基本的には報道されていないことを書くことにしています。

そのため、他の方に比べて、独自路線に見えると思います。

私が記事を書く上で、一番にポイントをおいているところは、「報道されていないことは何か」ということです。

例えば、大々的に報じられているけれども、「あるテーマに対して、理論上こういう風に組み立てていくと、こうなるはず。なのに、そこのところだけ、右派のメディアも左派のメディアも触れていない」、このようなミッシングリンクを分析して言及するのが、私の基本的なスタンスです。

編集部 なぜ、そのようなスタイルができたのですか。

深田 私は20代後半のときに、2年ほど、独立系リサーチハウスで株のアナリストとしてインターンをしていました。

普通のアナリストは、株を売りたい証券側（セルサイド）、株を買いたいファンド側（バイサイド）に所属しているため、それぞれの所属に有利な情報を出すことがあります。当時の上司は、独立系として、誰にも遠慮ない視点で記事を書くことを推奨していました。

そのときに各企業の財務諸表や、モノがどれだけ売れているのかの数の部分と、価格がどのように推移しているのかの数字をしっかり追うことを指導されました。そして、語られていない裏のシナリオを探しだせということを教わりました。それが、一般で報じられていないことを、報じるきっかけになったのかなと思います。

そのときの上司が特に大事にしていたのが、他の人々とは違う、独自の視点でエッジが効いた記事を書く、ということです。彼のレポートは一本50万円から100万円で外資ファンドが買っていました。

エッジの効いた記事を書いた方が、価値があると。私たちの仕事、分析をする人たちの仕事は、みんなと同調することではなくて、読者に対して、「あっ、こういう見方もあるよね」と、極端であっても、新しい視点を与えることです。間違っていていいわけじゃありませんが、思い切った視点で書くということがすごく重要であると教わりました。

情報の基本は技術です。技術は嘘をつきません

編集部　情報を入手する上で、基本となることはありますか。

深田　情報で、まず、基本とするものは技術です。技術は嘘をつきません。技術的にそれが可能なのか、それを技術者と話し合うと、太陽光発電は、最初から破綻（はたん）することが見えているわけです。

編集部　太陽光発電が、破綻するというのはなぜですか？

深田　太陽光パネルを開発してきた人やエンジニアに、私はよく会います。そういう

人たちと話をしていると、太陽光パネルの問題点が浮き彫りになります。

太陽光パネルは技術的なハードルが多いのです。まず、汚染の問題が残っています。

そして、どうしても太陽光パネルが劣化していくので、当初の発電量が、時を経ることによって徐々に減っていきます。

さらに、日光の照射量を考えると、太陽光パネルによる発電は、設置する面積に対して発電できる量が、火力発電や原子力発電と比べると、比較にならないほど小さくて、非効率なのです。

このようなことが開発者やエンジニアと話しているだけで見えてきます。

EV車も同じです、技術的に破綻します。EV車のバッテリーであるリチウムイオンバッテリーに使われているリチウムは有限資源です。このリチウムは、すでに高騰が始まっています。

そして、リチウムイオン電池も、スマホのバッテリーを見ればわかるように何年か経つと充電しても、電気がたまらなくなってきます。

そのうえ、急速充電をうたっていても、限界があります。実際、スウェーデンでは充電渋滞も起こっています。最も電気自動車が普及しているスウェーデンで、社会問題になり始めているのです。

　そして、ドイツでは、高層建築物の地下にＥＶ車を駐車してはならないという条例もあります。それは、ＥＶ車に搭載されているリチウムイオン電池が燃え始めると消火するのが簡単ではないという特徴があるからです。

　このように技術的観点から見たら、太陽光パネルもＥＶ車も欠点だらけで、普及することに無理があります。しかし、理論上考えたら、絶対無理なことが、報道ではいかにも正しいことのように報じられています。

　それは半導体不足の問題も同じです。基本的には、簡単に不足するはずがありません。工業製品なので生産量はだいたい把握できています。

　魚などの自然のものは、その年の海の状態によって多く獲れたり、非常に少なかったりと、自然に左右されることが頻繁に起きます。しかし、それとは異なり、工業製品は毎年どれだけ作るのかが、1年や2年前から入っている発注でわかっています。

　だから、そういうことがわかっている中で、突然、足りなくなるということは理論上ありえません。

半導体不足に関する報道に嘘が多かった

編集部　工場で事故があって生産できなくなったという話を聞いていますが。

深田　事故はわかります。が、それによって、どれだけ半導体が作られなくなったのでしょうか。味の素の絶縁体が足りない、じゃあ、どれくらい足りないのか調べると、全体の不足分からすれば、かなり限定された量なのです。

また、トランプの政策のせいで、半導体不足になったというけれど、トランプの政策はもっと前だから、タイミングが合いません。

半導体に対する報道はウソが多かったのです。

現在、半導体の一部の製品は余りつつあります。メモリも余っていて、メモリ会社は赤字です。キオクシアホールディングスの2022年10月～12月の最終連結損益は、846億円の赤字です。理由はフラッシュメモリの需要減です。

ＳＫハイニックスやサムスンもメモリの部門は赤字に転じ始めています。一般的なマイコンや一般的な半導体製品は余っています。

その中で、各国政府は2ナノ、3ナノという最先端部分の半導体工場に投資をしています。ところがいま一番必要なのは車載用の28ナノ、40ナノというレベルのレガシーラインの半導体です。古い技術の半導体です。

これは、いままでの普通の半導体のラインで生産できます。そのかわり工場側は、車載用の認証を取らないといけないですが、転用することはそれほど難しくありません。

いま、明らかに半導体が余り始めていて、半導体製造のラインが余り始めているのに、自動車だけ足りていない、というのは、やはり不自然です。

このように考えれば当たり前にわかる数字を積み上げていくと、じゃあ、誰かが意図的に、この半導体不足を演出している、ということにも気がつきます。

そして、政府は、不足している部分が何なのかをわかっているけれども、自分たちの私利私欲のために、現実を無視して、最先端分野、重要じゃない分野にお金を突っ込んでいるという報道がなされていないところが見えてきます。

オフィシャルレポートやアナリストの情報が基本

編集部　深田さんが、おっしゃった半導体の需給関係の数値はどこから手に入れているのでしょうか。

深田　半導体業界が出しているオフィシャルレポートや半導体のアナリストが出している業界の数値などです。できるだけオフィシャルな数字を使っています。

編集部　それらの数値は、ネット上で調べられるものですか、それとも、特殊な入手方法があるのでしょうか。

深田　ネット上で公開されているものもありますし、証券会社のアナリストと意見交換をすることもあります。

編集部　深田さんは、浙江財閥について本書の第一部でも話されているように、著書やYouTube等でも言及されていらっしゃいます。浙江財閥の存在に気がつくきっかけは何だったのでしょうか。

深田　基本の情報は現場です。

私がIT業界で仕事をしていて、台湾が中心になっているということを10年ほど前に気がつきました。そして、そのころ、業界中では、台湾の半導体シンジケートに逆らうと半導体チップが調達できないということが言われていたのです。

上場企業の社長も、これについてはかなり警戒していました。この半導体シンジケートの存在について調べていくと、青幇（チンパン）と呼ばれている上海租界地のギャングが元になっているということがわかってきました。

この由来を知るのは、取り立てて難しいことではなく、公の情報で知ることができます。

そして、台湾の人たちは、台湾の経済界を牛耳っているのは、結局、浙江省出身、江蘇省出身の大陸の人たちだと不満を漏らすのですが、調べると、青幇が蔣介石（しょうかいせき）側についていたことがわかりました。

そして、その人たち表の姿は、蔣介石をバックアップしていた浙江財閥であることが見えてきたのです。表の姿が浙江財閥、裏の姿は青幇という構図が浮き上がってきました。

浙江財閥という呼び方に気がつくまでは、私は、浙江・江蘇財閥と呼んでいましたが、あるときに戦前の朝日新聞を見つけました。その朝日新聞に蔣介石に対して浙江財閥が資金を付けたと書かれているのです。

浙江財閥という呼び方のほうが日本でも馴染みがあるので、それから浙江財閥という呼び方に統一しました。

ただし、多くの中国の専門家や記者はその存在を知りません。それは、中国や台湾の記事を書くチャイナウォッチャーには、中国政府か台湾政府が情報員を現地アシスタントや情報提供者という形で付けるので、多くの記者や専門家が気がつかないうちに情報操作がなされていることがあります。特に、習近平のバックとなっている浙江財閥に関する情報は抑え込まれている節があります。

浙江財閥以外の企業は中国政府から支援が打ち切られた

編集部　深田さんは、その浙江財閥と習近平のつながりについて、第一部でも言及していますが、浙江財閥と習近平のつながりはどこで気がついたのでしょうか。

深田　コロナが始まる前までは、私は中国によく行っていました。そして、中国の大手企業の方と話をしていました。彼らも半導体企業や半導体工場を持っています。そして、2015、6年から、彼らが国の助成金で半導体部門を拡大しようとしていたのです。

その人たちがある日、突然、助成金を止められて、資金繰りに詰まって、潰れそうになりました。そのときに、浙江財閥の周りのプレーヤーたちがやって来て、彼らは訴訟されたり、二束三文で工場を買い叩かれたり、いろんな目に遭っています。

それを俯瞰(ふかん)すると、習近平派のコアに浙江財閥の人たちが多く、反習近平派と習近平に距離がある人たちは浙江財閥とあまり仲が良くないことがわかりました。彼らは浙江財閥や財閥の周辺プレーヤーにビジネスを横取りされています。

この習近平派対反習近平派の対立構造というのが、２０１５年~17年にかけて、はっきり見えてきました。

反習近平派の人たちの不満や文句を聞いていると、大概が、習近平が浙江省出身の人たちを優遇していると怒っています。ファーウェイとか、こともあろうに台湾企業のＴＳＭＣを優遇していて、それが許せないと話すのです。

そのような声が、現場から直接、聞こえてきました。このようなことを掘り下げていくと、習近平のバックになっている人たちが、浙江財閥であると見えてきたのです。

中国大陸の中では、基本的に派閥争いが非常に激しいので、習近平は、派閥の一部を台湾に置いておいた方が、安全だと思ったのかもしれません。

それは、自民党の中でもあります。

習近平も日本の首相たちも裏派閥を作る

編集部　日本の自民党ですか？

深田　日本の自民党でも、重鎮クラスになってくると、事実上、自分の派閥を所属派閥の外部や党外に置いたりします。

編集部　派閥をですか！

深田　裏派閥です。自分の派閥とは言わない自分の部下たちを、野党の中に作ったりするわけです。

編集部　なぜ、それがわかるのですか。自民党や野党の方から聞いたのですか。

深田　そういうことをボヤく議員先生もいます。菅さんが維新を裏で支えていたと言われていますが、事実、維新に何かあったときに菅さんが庇(かば)っています。小池都知事は、裏で自民党が支えているとも言われていますが、自民党神奈川県連の推進する政策を取っています。みんなの党も、もともとは麻生さんがかなりバックアップしていました。野党の質があまりにも低いので、まともな二大政党制を目指していたのではないでしょうか。

菅さんは派閥政治にならないように、派閥は作らないとおっしゃっていますが、自分の勉強会に何十人も集めています。

派閥の中にいると、派閥の論理が先で、自分のやりたいことができないというのがあるので、外に置くということです。それは、政治家の戦略としてはあります。

話を中国に戻すと、習近平は、伝統的な共産主義の思想は持っていません。

習近平の毛沢東への回帰報道はプロパガンダ

編集部　そうですか？　しかし、習近平は毛沢東思想に中国を戻そうとしているという報道も見ますが。

深田　それはプロパガンダです。日本の右翼は愛国ですが、中国の右翼は伝統的共産主義です。そういう層を取り込むためのポーズです。

ターゲティングした層に対して、自分がよく見えるように、そういうポーズをとらざるを得ないのです。習近平は、中国の右翼をターゲティングしていますから、自分は伝統的共産主義の価値観を持っているということを、アピールしなければなりません。

支持率を気にしているのです。

中国は、支持率は関係ないと皆さん思っているかもしれませんが、そうでもないです。やはり人間はどこか民主主義的で、それも自然発生的な民主主義が潜在意識のどこかにあります。与えられている権利ではありませんが、中国は国民の人数が多いので嫌われて、国民が本気で暴動を始めたら、共産党員の方が数は少ないので本気でガス抜きをせざるを得ません。習近平は香港視察でも怖がっていたと見えて、かなりの数の警備を付けていました。

そして、反習近平機運が高まれば、それ見たことかと反習近平派がすぐに習近平降ろしを始めかねません。そのため、いくら独裁者だとはいえ、人気も必要です。

編集部 特に政治はそうでしょうね。

深田　政治は嫌われたら終わりなので国民に好かれていたいのです。安定政権だからこそ、いろいろな派閥をまとめることができますが、それは支持率が高いからです。
安倍政権が続いたのは、支持率がそれなりに高かったからです。いろいろな派閥が不満を持ちつつも、安倍さんについていくしかなかったという面があります。

編集部　選挙に勝てますからね。

グローバリストじゃないのかと、疑われている習近平

深田　習近平は中国の伝統的な共産主義者を装って、自分は毛沢東主義なんだと言いつつ、超グローバリスト政策を採っています。
彼のグローバリスト政策はどこから来ているかというと、ダボス会議からです。ダボス会議に出席している中国企業は、それほど多くなくて、ほぼ浙江財閥系企業に占められています。

ＴＳＭＣとかファーウェイとかフォックスコンです。ＴＳＭＣやフォックスコンは台湾企業に見えますが、中国で習近平に超優遇されている実質的な中国企業です。そして、習近平は、浙江財閥が推進するグローバリズム政策をそのまま国内で反映して、クリーンエネルギー政策をやっています。

しかし、そのクリーンエネルギー政策が中国内で非常に評判が悪いのです。太陽光パネルで作った電気は、電圧が安定しないので使いづらい。

しかも、中国は大気汚染がひどくて、日照時間は想定通りなのですが、日光が大気汚染にさえぎられて、理論値どおりのエネルギーが得られないのです。

だから、太陽光パネルによる発電で、ゴミが増えるだけでなく電気代が上がっていて、中国ではクリーンエネルギーのことはゴミ電気と言われています。

反習近平の人たちは、習近平のことを、「グローバリストじゃないのか」と、すごく疑っています。共産主義的ナショナリズムという現代中国人の伝統的な価値観ではなくて、グローバリストのやりたいことを、代弁していませんか、ということです。

本来ならば、ロシアのウクライナ侵攻では、中国の伝統的な共産党員はロシアを応援したかったわけです。ところが、当初習近平は日和（ひよ）って、ちょっとウクライナに寄っていました。

そういうのも、国内の不満が高まる要因です。

それは、浙江財閥の工場や利権がウクライナに存在し、そちらの方を庇っているのではないかというように、反習近平の人たちは疑っています。

そういう中国国内の不満の声なども聞いていると、習近平と浙江財閥のつながりの濃さが浮上してきます。

現場の情報を重視する

深田　基本的に日本国内のメディアが語る中国像は、すごく偏っています。先ほども話しましたが、私は2011年ごろくらいから仕事の関係で中国によく行っていたのですが、日本で報道される中国の姿と、私が中国の現地で見る姿がかなり乖離していました。

不思議なくらい乖離しているなと思ったのです。

その理由は、日本のチャイナウォッチャーと言われている人たちや、中国の専門家と言われている人たちが、かなり偏ったニュースを出しているからなのです。

しかし、その方々が間違っているというわけではありません。情報は情報源に依存し、情報源によって左右されるので、私の情報源とかなり違っていたわけです。もう一つの理由には、彼らの周辺には、彼らが自覚しないままに、中国政府から派遣された情報提供者なども多く混ざっています。

私はどちらかというと、企業の方と接していました。企業は売り上げを上げなければならないとか、この技術を開発して次はこういうことをしなければならないとか、これが原因で赤字になってしまったとか、財務諸表という数字がある限り、あまり嘘がつけないエリアがあります。

その一つの情報としてファーウェイが推進していた5G通信があります。５Ｇは失敗に終わりつつあります。５Ｇの電力消費量がかなり高くて、このまま導入していくと中国の通信会社は赤字になりかねない状況です。この数字は嘘がつけないエリアです。

そのため、中国の通信会社は習近平の言うことを聞くふりをしながら、５Ｇ通信に対する投資をスローダウンしています。だから、ファーウェイに対する不満やＴＳＭ

Cに対する不満が中国国内の企業にあるのです。

このように現場の声に耳を傾けていると、表の世界で流れている世界とは違う世界観が見えてくると思います。時折、「誰もそんなことを言っていなかったのに、結局、深田さんの言うとおりになった」と評価していただきますが、主要な情報源であまり語られていないことに耳を傾けて吟味することは、書き手と読み手の両者に求められるスキルだと思います。

中国人にとって、政治はビジネス

編集部　2022年の全人代で中央政府から反習近平派は一切排除されてしまいました。政治の状況はどうなのでしょうか。

深田　現状は、習近平派に不満を心の中で抱いているだけで、大きな動きにはなっていません。失脚のチャンスは狙っているとは思います。

中国の人々にとって、政治とはビジネスです。自分たちのバックにいる企業が儲かっていないのです。

中国の思想からは、宗教や神様が排除されました。その結果、信じていけるものが「お金」しかないのです。「お金」が儲からないというのは、彼らにとって神を否定することと同じです。

「お金」を儲けて、一族が繁栄して、豪華な暮らしをすることは、彼らの価値感における「美徳」です。彼らにとっての道徳上の「美徳」なのです。そして、金持ちになるための手段はなんでもいいのです。

そういう彼らの価値観から言うと、習近平政権になってから儲かっていないというのは、彼らの不道徳であり、是正されるべきことなのです。

だから、助成金を打ち切られ、自分のシマだと思っていた産業をファーウェイに取られ、「なんで浙江財閥だけ優遇されなければならないんだ！」と不満が溜まっています。

ただ、習近平がそのように他派閥の資金源を潰しているというのも、これはこれで戦略で、「金」がないと反旗が翻せないので、習近平もそうせざるを得ないのです。

そして、共産党内部の反習近平の人たちもエリートです。党内の反習近平派は、一般大衆とは違います。

一般大衆は、怒って、ちょくちょくデモとかしていますが、そういう人たちとは違います。エリートで政界に入っている共産党員は、うまくやらないと、いったん失脚するとカムバックできないので、辛酸を嘗める思いですがいますぐ反旗を翻すわけにもいきません。

反旗を翻すにしてもタイミングを見計らっています。

戦いで勝つには、「天の時、地の利、人の和」が必要ですからね。

日々、日本語、英語、中国語の左右のニュースをチェック

編集部　深田さんが日々情報を集めるときに、チェックしている人やモノというものはあるのでしょうか。

深田　ニュースは必ずチェックしています。日本語圏、英語圏、中国語圏と幅広く見て、中国語はあまり得意ではないので、社内の中国語ができる台湾人の方に、チェッ

クしてもらいピックアップしてもらっています。

どこの国のニュースでも、右派と左派の両方とも読んで、その主張はチェックしています。

最初に話したように、私が一番探しているのは、ミッシングリンクで、右も左も触れていないことが一番のポイントなので、左右の主張や記事のチェックは怠りません。

人に関しては、IT業界や金融業界、それから日本をリードする企業のCEO発言は、ウォッチしています。業界の主要な経営者の発言が、どっちを向いているかで、業界の動向に波及していきます。

目立つところで言えば、ジョージ・ソロス、イーロン・マスク、台湾で言えば半導体大手のTSMC創業者のモリス・チャン。日本で言えばトヨタの豊田章男氏です。豊田さんの決断によって、日本の自動車産業の動向が大きく動いていくので、注視しています。

トヨタは新しく社長が変わって、完全に電気自動車に移行するということですが、これが「トヨタの終わりの始まり」になってしまうかもしれないと考えつつ、ウォッチしています。

結局、トヨタはガソリン車の開発で、ここまで繁栄してきました。電気自動車に完全に舵を切り、一部は中国の他車メーカーのモノを使うとなりました。

中国の方が、コストは安いのです。低コストを求めれば中国企業に頼ることになります。中国の自動車メーカーに事実上のOEMを頼む流れに乗り始めてしまいました。トヨタがBYDと共同開発した自動車を市場投入しています。

これは、中国でここ数年ほど言われてきた「トヨタはもうすぐ中国の自動車メーカーにOEMを頼むことになる」という業界の噂が現実化してきたことです。

それがどうなるのか。

今後、トヨタ関連のガソリン車用内燃機関の工場が、縮小される可能性もあります。既に下請けの一部は中国や台湾企業に買収されています。それによって日本の自動車産業に勤める550万人の雇用に影響を与える可能性があります。

トヨタがそういった方向に舵を切るのも、日本政府が「2035年から、ガソリン車の新車販売禁止」というバカバカしい政策を掲げたからです。EV車に強い中国を助け、ガソリン車に強い日本企業を潰す政策です。

新しい燃料が登場すれば、トヨタの逆転もある

編集部　５５０万人の雇用が不安定になるとすれば、由々しき事態ですね。

深田　ただし、トヨタに関しては、それほど悲観していません。トヨタはありとあらゆる技術を開発しています。ＥＶ車も長らく出さなかったけれど、その技術は隠し持っていました。

今後、固体燃料電池車とか、次世代の燃料による自動車が開発されれば、また、日本国内の工場がよみがえるシナリオも残っていないわけではありません。

シナリオは一つではありません。例えば、これまで、太陽光パネルが政策的に推進されてきました。ところが、２０２２年から急に太陽光パネルが叩かれるようになって、ガラッと風向きが変わりました。

ＥＶ車もそのときが来ると思います。さきほど、ＥＶ車の欠点を説明しましたが、他にもリチウムイオン電池は交換費用が高く、さらに廃棄するときに、環境にも悪影

響が出ます。

ＥＶ車は事故に遭っても漏電の可能性があるので救助が難しい、燃えて水を掛けると化学反応で余計に燃えてしまうなど、問題点が多くあります。

ＥＶ車を推進しているダボス会議の幹部たちは、ＥＶ車に乗らずにガソリン車に乗っています。

太陽光パネル利権で儲けた人たちが、次には原発利権で儲けたいとなって、太陽光パネルを叩くプロパガンダを流しています。

こういったケースのように、新しい自動車利権のために政治家が動き出すときには、ＥＶ車の欠陥について語られるでしょう。

そのときに、違う燃料の自動車が登場する可能性はあるのです。それが、化石燃料に戻るのか、それとも水素になるのか分かりませんが、いままでとは違う展開で、儲かる人たちが出てくることはあり得ます。

中国が、いまのＥＶ車を止めて、違う燃料で走る自動車で儲けたいとなったときに、違う流れがガラッと出てくる可能性が高いでしょう。

旬の流れは人工的に作られる

編集部　そのような流れが、いま中国にあるのでしょうか。

深田　これは自然発生の流れではありません。人工的に作られる流れです。先ほどから何度か言及している太陽光パネルやＥＶ車ですが、うまくいかないことは、現場のエンジニアや開発者は、技術的にはわかっています。だから、中国は失敗してもかまわないと思っています。失敗しても売れればいいのです。また新しい技術が出てきたら、買い替え重要が生まれます。そのために流れを作るのです。

いま、太陽光パネルがダメだとバンバンに叩かれていますが、叩いている人たちは原発推進派の人たちです。別の利権がチャンスを掴むのです。

決して火力発電の話は出てきません。それは、火力発電が政治的な利権に絡んでいないからです。

原発推進派のなかには政治家がらみの利権があります。太陽光パネルにも政治家がらみの利権があります。ＥＶ車も現在、かなり政策的に推進されていますが、これも充電ステーション利権があります。政治家の息がかかったところが助成金を取って充電ステーションを作っているケースがあります。

次にそれを潰したい新しい燃料と癒着している政治家が出てきたら、リチウムイオン電池を使っているＥＶ車が、ちょっとでも批判されたら、その政治家の側から、かなり攻勢に出てきて流れを作るでしょう。

そのような流れは、メディアが大々的に行うので、人工的に起こそうと思うとお金がかかりますが、メディアも儲かります。

現実社会のニュースは裏があると思った方がいい

編集部　深田さんは意識的に裏を読むというより、メディアや他の人が報じないところを言及していくなかで結果的に裏を読んでいるという形になっているのでしょうか。

深田　それもありますが、もともと、性格的に深読みしてしまうという癖があったようです。国語の点数を落としたことが多くありました。深読みしすぎて、額面通りに、文字通りに受け止められなかったのです。

「なんか、裏があるんじゃないか」と考える癖はあったようです。

ただし、試験は額面通り答えないと点数を落としますが、現実は深読みした方がいい場合が多いです。

世の中では、頭のいい人たちがニュースを流しています。そのような人たちはニュースを利用して自分たちにメリットがあればいいなと考えています。もっといえば、人のウラをかきたいと思っている人がニュースを流しています。

だから、裏を読むぐらいでちょうどいいかもしれません。

そのニュースで誰が儲かるか、思い浮かべる

編集部　裏を読む場合、どこを読むのでしょうか。

深田　このニュースで、誰が儲かるかです。このニュースで儲かる人の姿が思い浮かべれば、それがだいたい当たりだと思います。

編集部　先ほどの例で言えば、太陽光パネルを批判することで、誰が儲かるかをイメージするということですね。

深田　そうです。太陽光パネルを推進することで、儲かったのは中国です。それを批判しているのは、先に話したように原発推進派です。だからといって、原発推進が間違っているわけではありません。この国に原発は必要だと思います。ただし、原発推進で儲かる人たちもいるわけです。それは単なる世の中の現実ですから。

編集部　裏についてですが、ニュースの裏をそのように読んだとして、原発推進の人たちを、どう検証するのでしょうか。

深田　原発の場合、原発を推進している人たちのグループがあります。そのグループを注視したり、調べたりしていくと、仲のいい政治家や仲のいい団体が見えてきます。そして、そのような人たちが何を発言しているかを見ていきます。

端的に言うと、太陽光パネルは自民党の小泉元総理の周辺、神奈川県連が推進しています。原発は基本的に安倍元首相の側近たちが推進しています。

民主党の政権時代に経産省が突貫工事で作った新電力制度を利用して、多くの新電力会社が創業されました。

それが、１、２年前に、その制度の不備を利用して大手電力会社が新電力会社を潰しにかかったことがあったのです。しかし、政府は、制度の不備に目をつぶって、大手電力会社がしている新電力会社いじめを放置していました。

そのような中で、中小の新電力会社の味方をする政治家はいませんでした。

一方、岸田首相は、原発推進を決めました。岸田首相は、広島出身の政治家で、原子力に関してはもともと反対の立場でした。しかし、政権をとる過程で、原発推進に舵を切り直しました。原発推進の安倍派が、岸田首相を支持する条件の一つとして、原発反対の旗を降ろすことがあったと永田町では言われています。

原発推進に反対した河野太郎は、自民党の総裁選で敗北しました。彼は自民党神奈川県連です。

そして、太陽光パネル推進一辺倒だった小泉進次郎のポスターが太陽光パネルと同時に、次世代型原発推進も掲げられたのを見ると、安倍派と神奈川県連は、手打ちしたんだなと見えてきます。

私は技術企業の人間ですが、いつも残念に思うのは、技術的に優れているものが広まる前に、政治家と癒着している企業の製品が良く広まるということです。

そして、そのような製品が技術的に劣っていても、推進している人たちは、そのとき、儲かればいいので、その後のことは、全く考えていないのです。

そういうところが非常に残念だと、世界各国の政治を見ていて思います。日本だけでない、中国やアメリカだけでなく、全世界がそのような状況です。読者の皆様は「誰を信じればいいのか」という視点ではなく、「最後は自分で判断する」という視点で、色んな記事を読み比べていただきたいです。

（文責／編集部）

第二部　陰謀の見抜き方

第6章

世界の正しいニュースの見つけ方

ここでは、著書『世界のニュースを日本人は何も知らない』がベストセラーになっている谷本真由美氏の正しい情報ソースの見つけ方を指南していただく。元国連職員でロンドン在住だからわかる世界の常識とは。

谷本真由美氏（元国連職員。『世界のニュースを日本人は何も知らない』著者）に聞く！　世界のニュースに騙されない方法とは？

●嘘に翻弄されない情報ソースはどこにありますか？

1に公的情報、2に調査報告書 3にニュース、4に信じられる人のネット情報

まず見るべきは官公庁が出している公的情報、特に統計情報です

編集部　谷本さんは著書『世界のニュースを日本人は何も知らない』（ワニブックス）の中で、「世界の重大ニュース」を知るための情報ソースを紹介していますが、世界のニュースで日本語でも簡単に手に入る情報ソースはあるのでしょうか。

谷本真由美氏（以下、谷本）　まず、日本語でも手に入る情報ソースとしては、政府などの官公庁が出している公的機関の情報、特に統計情報があります。それから、調査報告書です。

官公庁などの公的機関が出している情報であれば、間違った情報はないですし、精査されているので信用はできると思います。

意外と統計情報は見ていない方が多くて、思い込みでいろいろなことを語っている場合がありますが、公的なところが出している統計を見ると、思っていたことと違うなということがわかります。

それを見ていない方が多いので、公的機関の情報はあたった方がいいです。

二番目は大学機関とか、研究機関が発表しているデータ、調査報告書や記事です。最近であれば、ロシア情勢とか、ウクライナ情勢、貿易に関することなど、各国の貿易情報や経済情報を、各大学の先生がお書きになっている報告書とかありますので、そういうのを見てみるといいと思います。

私も、執筆したり、レポートを書いたりする時は、まず、これらの公的機関の情報を見ます。外国の公的機関の情報と、日本の公的機関の情報を比べることもあります。

例えば、ある地域のことを調べるのであれば、CIAが発表している情報がありますし、日本語でも同じような情報があるので、それを比較して、基礎的な情報を得ます。そして、その後に深掘りした情報を得るようにしています。

ある地域の治安情報を日本と海外サイトで比べてみる

編集部 そのような場合、日本と外国では情報に違いはあるのでしょうか。

谷本 掲載している情報が違ったり、切り口が違っていたりします。典型的な例では、治安情報があります。

ここは、私が注力して見ているのですが、例えば、日本の外務省が発表しているサイトでは、個人旅行者や出張者の方が、このような犯罪に遭(あ)いましたとか、このような場所ではスリが多いですとか、ミクロな情報が多いのですが、イギリスやアメリカの場合、もう少し、マクロな見方になっています。

例えば、テロの情報とか、原子力発電所で事故がある可能性とか、そのような情報が載っていたりします。

それを、比較すると、ある地域や国の違った見方の情報が集まります。

翻訳サイトや翻訳ソフトを駆使して海外の情報をゲット

編集部　外国の情報は英語がほとんどだと思いますが、英語の苦手な人には、ハードルが高いように思いますが。

谷本　最近は翻訳サイトが充実していますので、それを利用されることをお勧めします。私はＧｏｏｇｌｅ翻訳が、一番重宝しています。Ｗｅｂサイトをそのまま翻訳してしまう機能がありますので、それをそのまま使っています。

特に特定の部分だけ詳しく知りたい場合は、ディープラーニングの翻訳ソフトを使って、Ｗｅｂサイトの知りたいところをコピーして、そこをペーストして翻訳することをしています。ヨーロッパ系の言語であれば、翻訳の精度もかなり良くなっていますし、官公庁が書く文章というのは、文法などが単純化されていて、なおかつ事実を列挙したものが多いので、翻訳ソフトを使っても、それほど問題はないと思います。

私は、ヨーロッパ系言語ではありませんがアラビア語圏の言語であるとか、ドイツ語、フランス語などの場合、翻訳ソフトを使っています。これらの言語が私はできないので、重宝しています。

編集部　外国も含めて、官公庁などの公的機関が出している情報をまず見るということが大切なわけですね。

谷本　そうです。私は大学院の時に、情報を精査するという授業があったのですが、その時に、見ていく情報の順番としては、まず、官公庁の資料を見なさいという指導がありました。それは、大学で論文を書くための訓練なのです。

アメリカの大学でそのような授業があり、経営コンサルタントをしている時も、マネージャーから全く同じ指導を受けました。

主要なニュースは三番目の情報

編集部　そのような公的機関や大学などが出している調査報告書のあとに、日本文、英文に限らず、次に見るものは何があるのでしょうか。

谷本　その次に見るのが、主要なニュースソースです。新聞やシンクタンクが出しているニュースに近いレポートとか、インターネット上に出ていて比較的に名前が知られている機関の情報ですね。

Googleを駆使して、それらを検索して、情報を大量に集め、他の検索エンジン、例えばDuckDuckGo（ダックダックゴー）などを使って集めてきたものを、読み下すという作業をします。

これは、かなり量をこなしています。

それから、それと並行して、地域のトピックに関して、専門家が書かれた本がかなり出ていますので、その中から、大学の文献になっているものや、Webの記事を書かれた方の本や、アマゾンなどで見ている方が多い本を調べて、それらの本を一気に集めます。そして、一回に30冊とか集めて、それを読み下す作業をします。この大量をこなすと、その地域やトピックに関して、大まかな像が見えてきます。この大量に読むという作業を、3日ほどでこなします。

これも大学院と経営コンサルタントをしていたときに、トピックや新しい課題の作業をする場合に、様々な情報を入手して大量に目を通しなさいという指導を受けたからです。そのときの経験が元になっています。

編集部　30冊を3日で読むというのは、かなり大変な作業ではないですか。

谷本　もちろん、全ページを読むということはありません。自分の知りたいところだけ、拾い読みをします。拾い読みをする場合は、目次や索引を見て、該当する項目から目を通します。

イーロン・マスクとつながるジャーナリスト、シンクタンクの研究員をフォロー

編集部　谷本さんが官公庁の情報は別として、フォローしている、あるいはチェックしているツイッター（現X、以下同）などのネット情報はあるのでしょうか。

谷本　チェックしている情報はかなりあります。イーロン・マスクさんとやり取りをしているジャーナリストの方がいます。イーロン・マスクのタイムラインに登場する方です。

その方々をフォローしていて、その方々が紹介するニュースとか、発信されることは、よく読んでいますね。非常に面白い方が多いです。

それから、統計などを出しているシンクタンクの研究者の個人アカウントがあって、それも見ています。個人的な見解をつぶやかれることもあり、自分の所属している機関とは別の機関や大学が発表した情報をつぶやかれていることがあるので、それは、かなり有力な情報なので、フォローさせていただいています。

編集部　それは日本人ではなく、外国の方ですか。

谷本　はい、外国の方です。

編集部　日本人でフォローしているシンクタンクの方はいますか。

谷本　日本だとシンクタンクの数が少なくて、フォローしている方はいませんが、大学の研究者の方はいます。理論物理学の方とか、理研に所属している研究者の方とか、です。

それに、日本では割りと弁護士さんが発信されているので、それらの方の情報を見ています。

元メーカー、元プラント、元交通の実務に携わっていた人もフォロー

編集部　日本人は別として、それ以外でフォローされている方には、どのような方がいらっしゃいますか。

谷本　ジャーナリストの方ですね。それと、意外と助かっているのは、60代とか70代で、もう定年退職され、匿名でツイッターをされている方です。

きっと、現役時代は、どこかのメーカーやプラントの会社、交通系の会社で実務をしていらっしゃった方です。その方々の投稿が、意外と質が高かったりするので、結構拝見させていただいています。

その方々には、海外の方もいますし、日本の方もいます。その方々の発信をタイムラインで読んでいると、どんな仕事をしていたのか、なんとなくわかります。

もちろん退職されているのですが、ご自身が所属していた業界については、興味を持たれているので、非常に面白いことを書かれている方がいらっしゃいます。そういう方のツイッターからヒントをいただくことも多いですね。

フォローしている市井（しせい）の歴史研究家、ミリタリーオタク

編集部　他にはありますか？

谷本　他には、趣味で歴史の研究をされている方がいます。このような方は日本にも海外にもいらっしゃいます。年齢層が高めの方で、子育てを終えていて、男性の方が多いですね。そういう方が探してきて、つぶやかれる資料が、非常に面白いのです。どうしても、大学にいる歴史研究者は論文を書かなければいけないし、自分の業績にかかわる分野に注力していますし、そもそも、つぶやいている暇があまりありません。

一方、いわゆるアマチュアヒストリアン（アマチュアの歴史家）の方は、自分の興味のあることを自由奔放に調べたり、論文のように評価を気にせず、つぶやいたり、まとめたりしているので、新しい発見を起こしてくれることもあります。

そのような中には、ロシアやウクライナに関する意外な情報が含まれていたりとか、

意外な産業史が書かれていることがあります。

コンピュータの歴史とか、航空機や兵器、さらには機械の部品の歴史などもあります。かなりニッチな分野で、このような歴史は商業メディアになかなか載りませんし、論文にならない情報だったりするので、非常に参考になります。

他にもミリタリーマニアの方がいて、この方々が発信する情報は、かなり濃度が高く、精度も高いです。お金をもらってやっているわけではないので、忖度（そんたく）なく、様々な情報があがってきて面白いのです。

そして、最近出始めたのが、もともとミリタリー系の趣味の方ですが、衛星通信の会社が無料公開しているGPS情報をまとめてきて、つぶやいている方がいます。Webサイトにまとめているのです。

これがまた非常に濃い情報です。最近ではウクライナにおけるロシア軍の動きなどをまとめて、研究していらっしゃる方がいます。もちろん、軍の方ではありません。あくまで、一般の方が趣味でやっていることですが、趣味でやっているだけに、通常の見方とは違っていて、面白いのです。

編集部　そのような情報には意図的ではない間違いも多くあると思うのですが、それはどのように対処していらっしゃるのでしょうか。

谷本　確かに間違いもあります。それを回避するためには、いくつかのサイトを見比べて、比較します。同じようなことを書いている方がいますから、それを探してきて、合っているか合っていないか比較するのです。

そうすると、間違っている箇所が見つかります。間違いは、どうしても避けられません。専門家の論文も何人もの方が見て評価します。それが査読です。

同じようなことをすればいいと思います。

メディアは出資者とそのカラーを知っておきたい

編集部　日本人が情報ソースとして、一番身近なのはテレビや新聞だと思います。ネットであっても、それらの報道機関がニュースを載せています。それらを見るときにこころがけたいことはあるでしょうか。

谷本　ある程度、その報道機関のカラーを知っておくことが大切だと思います。その会社の出資者とか、出資者との関係を頭に入れておいて、見た方がいいと思います。

典型的な例で言えば、アマゾンの共同創設者であり取締役会長のジェフ・ベゾスさんが出資したワシントン・ポストがアマゾンのことを報道したら、色がついていると考えた方がいいでしょう。

それから、新聞などは、その会社の立場があるので、その会社の立場を理解するうえで、同じ記事を比べてみるといいと思います。特に自分が気にかかったトピックに関して、いくつか比較していけば、その立場はわかるようになります。

例えば、イギリスだと、ブレグジット（EUからの離脱）に関してクオリティーペーパーと呼ばれる『デイリー・テレグラフ』や『ガーディアン』、タブロイド判大衆紙の『ザ・サン』や『デイリー・ミラー』などが、どういうことを書いているか見てみると、その新聞の立場がよくわかります。

ブレグジットについて『テレグラフ』だと肯定的に書いています。掃除機で知られるダイソン社の創業者でEU離脱推進派として知られるジェームス・ダイソンさんのことを好意的に掲載したりします。一方、ガーディアンだと、完全に反対という意見なので、全く見方が違います。

それに、イギリスだと、載せる記事自体が違います。さらに、コラムに至っては、かなり強烈なことを書きます。タブロイド判中級紙、『デイリー・メール』やロンドンの夕刊紙、『イブニングスタンダード』だと、コラムに力を入れているので、筆者の方が、激しく鋭いことを書いています。歯に衣着せず、非常にはっきり意見を述べます。反対することは、はっきり反対と書きます。

これを各紙比較すると、こんなに見方が違うのかということがわかります。タブロイド判に限らず、クオリティーペーパーと呼ばれる高級紙でも、意見ははっきり述べています。

イエスかノーかの業界で生きてきた

編集部 サブスクに関してはどうなのでしょうか。ネットフリックスなどはエンターテインメントの潮流を知るには、いい情報源であると著書に書かれていますが。

谷本　ロンドンでは、サブスクに関しては、一時期、コロナで家から出られなかったので、購読者、視聴者が増えました。しかし、コロナが終わって、外出できるようになったので、利用する方は減ってしまいました。日本も同じようになるのではないでしょうか。

ただし、まだ、サービスが停止したわけではありません。

ネットフリックスに関しては、自社制作物のレベルが少し落ちてきたかなと感じています。また、いいコンテンツがアマゾンプライムやディズニープラスに、持っていかれているように思います。だから、私は、ネットフリックスで見るものが、最近、少なくなっています。

編集部　少し話が横道にそれますが、谷本さんの書かれた著作やツイッターを読むと、端的な表現が多く、舌鋒鋭い物言いになっていますが、何か、意図されていらっしゃるのでしょうか。

谷本　きっと、私は海外での生活が長いので、書き方がストレートなのかもしれません。

それに、私はコンサルティングで産業調査や政策の調査をやってきました。それから、海外のトピックスも担当することが多くて、そういうものはイエスかノーではっきり書かないと、いけないのです。

曖昧にしていては、お客さんが読んでも意味がわかりません。

例えば、ＰＦＩ事業（民間活力を利用した公共事業）では、収益性について、高かったか、高くなかったかを、イエスかノーではっきり書かなければいけないですし、失敗したケースがあったら、それもはっきり書かないといけません。

お客様は、それを参考にして戦略などを立てるので、間違って読まれるとビジネスにダメージが起きてしまいます。だから、上司から、曖昧な部分はなくしなさいと言われていました。さらに、お客様は幹部レベルの方や上級管理職で大変多忙で時間が限られているため、メッセージや情報が短時間で伝わるように簡潔に書かなければいけないと、指導されました。簡潔であればメッセージが間違って伝わる可能性も低くなります。また事業に関わる方も多国籍ですので、英語に翻訳されて読まれることも念頭において、行間を読む部分をなくし、明瞭な内容にしなければなりません。最初から英語で執筆することもあります。

私はIT業界に長く在籍しています。IT業界では、品質管理や内部統制などを担当し、プロジェクトの管理をしてきました。そこも白黒をはっきりさせて書かないといけないのです。

例えば、品質管理では、レポートを規制当局やお客様に提出することがあります。そのレポートには、このようなシステムがあって、このような業務に使っていて、規制に沿っている等現況を正確に明記しなければなりません。さらにシステムに重大事故があった場合には、これは、こういった理由で起きて、解決策としては、こういうものがあります、とはっきりと明瞭に書かなければならないのです。契約や罰金、訴訟に関わることになりますし、事故の場合は規制当局による検査が入る場合もありますので、曖昧さを回避し、事実を明確にしなければなりません。

日本で一般読者向けに出されている書籍や記事は、表現を少し曖昧にして書いていたり、結論をはっきりさせなかったりするものが多いようです。しかし、私のいた業界はそれと反対で、イエスかノーかではっきり書かないといけないのです。

私には、それが染みついているのではないかと思います。

様々な考えの、様々な人がいるロンドン

編集部　現在、谷本さんはロンドンにお住まいですが、ロンドンのいいところ、そして、世界を知る上で、ロンドンにいるメリットということはありますか。

谷本　ロンドンのいいところは、日本より、生活がゆっくりしていることです。大都市ですが、のんびりした人が多いですね。約束に少々遅れてしまっても、いいや、というルーズなところがあります。日本だときっちり仕事をしなければ、怒られることがありますが、ロンドンでは、細かいところにこだわらないですね。原理原則さえ守られていれば良いというダイナミックさもあります。

日本だと皆さん生真面目なので、少し窮屈ですね。そして日本では細部には注力しますが、大局は見逃すことがあります。

もう一つのロンドンのメリットは、様々な国や民族の方がいらっしゃることです。

アメリカにも、様々な方がいらっしゃったのですが、田舎に行くと、多様性は、かなり少なくなります。

ロンドンの場合は、北アフリカや中東、東欧、北欧が、アメリカよりも距離的に近いので、様々な方が来やすいというのがあります。

様々な方がいるので、飽きることがありません。いろいろな方がいろいろな考えを持っているので、多くの刺激をもらえます。もちろん、難しいところもありますが、食べるものも多種多様で、デザインのセンスもいろいろです。

映画祭では、予期しない地域の映画を上映していたり、お祭りではソマリアの人が歌を歌っていたり、ヨーロッパといっても、日本人には馴染みのない地域、例えばアルバニアの方がいらっしゃったりして、バラエティーに富んでいます。

日本にいたら、そのような方と出会う機会は、かなり少ないと思います。

子どもの学校の生徒もそうで、9割ぐらいが、外国人か外国出身者です。イギリス国籍を持っていても、両親や祖父母が外国出身者だったりします。

すごい発想力を持った子どもたち

編集部 9割ですか。ほとんどということですね。

谷本 だから、家庭内で話されている言葉も違うし、食べるものも違うし、考え方も全然違います。

そのような子どもたちを見ていると、非常に驚かされることが多くあります。

音楽の授業で、先生が子どもたちに課題を出しました。それは、自分の好きな楽器で、好きな曲をひいて、皆さんに披露してくださいというものでした。

そのときは、コロナ禍の時期だったので、オンライン授業でした。私のところはピアノを子どもにひかせて発表したのですが、ナイジェリア出身の子は、自分でバケツにガムテープを貼って、ドラムを作ったのです。

それから、ビンを持ってきて、その即席のドラムで曲を演奏して、歌も歌って、踊りました。これにはびっくりしました。日本の子どもには、そんな発想はないだろうなと、驚きました。

日本の子どもなら、バイオリンやピアノやフルートや、立派な楽器を持ってきて、有名な方の曲を演奏すると思います。ナイジェリアの子どもは違うのです。

そして、その子は、「この曲が好きなんだ。だから歌うんだ」というわけです。なおかつ、うまいのです。

インドの子どもは、「自分で歌を作ったから聞いてください！」とみんなの前で歌いました。その歌はインド調のメロディーで、踊りもついていて、これは面白いなーと思ったら、先生もそれは素晴らしいと、絶賛したのです。

有名な作曲家の曲をうまく演奏できたから、偉いというのではなくて、自分で考えたことが、素晴らしいというのです。

これは、発想が違うなと思いました。日本人だけで固まっていたら、そういう発想は出てこないと思います。恥ずかしさが先に立ってしまいます。創造性が違うなと思いました。

子どもたちのスポーツを見ていても全く違います。駆け引きのやり方が、日本人だと思いつかないことをします。

サッカーをしているときに、突然、面白いことをやって、相手が驚いている間に、ボールを蹴ってしまうのです。「ああ、囮作戦か」と感心してしまいました。

これは、子どもだけでなく、仕事でもそうです。私は投資銀行にいたのですが、ほかの国の人は、プロジェクトファイナンスの仕組みを生成する場合でも、日本人だと考えつかない大胆なことをします。思いつかないようなパートナーを連れてきて、これで生成すればいいとか、するのです。

知り合いの会計士さんも、税務当局と交渉して、20年間、ずっと所得税を払ってなかったお店の納税額をゼロにし、なんのお咎めも受けずに済ませました。

20年間、税金を納めていない人の税金をゼロにしようと考える日本人の会計士さんはいません。それだけでも、驚きなのに、本当にゼロにしてしまうなど、どんなマジックを使ったのか、いまだに不思議です。

日本人から見て発想が飛んでいるのです。しかし、それは面白いし、新しい発見につながります。

英語は学ぶ時間があるなら、学んでおくべき

編集部 谷本さんは、英語の本も出されています（『添削！日本人英語—世界で通用する英文スタイルへ』朝日出版社、共著）。英語の重要性をお感じでしょうか。

谷本 英語ができると集められる情報が格段に増えます。翻訳サイトもありますが、手間が余分にかかってしまいます。英語を学んでいる余裕のない方は翻訳サイトを駆使してほしいと思いますが、学べるのであれば、身に付けた方がいいです。

コロナに関しても、世界的に著名な論文は、すべて英語でした。最新データが発表されるのも英語です。

それから、感染症研究で有名な機関はアメリカ、ドイツ、イギリスにありますが、発表されるときの言語は英語です。英語がわかっていれば、コロナの情報も先んじて読むことができるのです。

一部、翻訳されるモノもありますが、やはりタイムラグがあります。コロナなどの

感染症の情報はいち早く知った方が、確実にいいと思います。防疫の手法とか、新薬とか、ワクチンの副反応とか、いち早く手に入れたい情報ですので、英語ができた方がいいです。

有事の時に、命を助ける英語

谷本 いま、私が非常に心配しているのは、台湾有事です。どうなるかわからない状況です。ヨーロッパでは、台湾有事は起きる前提で発言している方が多いです。中国が危ないと言っている機関が非常に多くなっています。

イギリス政府は大学に関する中国の規制をすごく厳しくしており、中国からの研究者は来られないようになっています。安全保障上の理由です。情報漏洩が怖いので、中国との共同研究はできません。イギリスの大学教授は、いままで、こんなことはなかったと困惑しています。

だから、台湾有事が起きる可能性があります。もし、台湾有事が起きた場合に、日本を支援してくれる国は、ほとんどがヨーロッパとアメリカ、カナダとオーストラリアです。

　これらの国が使う言葉は英語です。

　例えば、このような攻撃の可能性があるとか、このような兵器を使う可能性があるとか、いま、敵はここにいるとか、の情報が飛び交うことになりますが、英語ができないと、その情報を掴まえられません。

　日本政府は、様々な情報を提供してくれると思いますが、それ以外の情報は、自ら得る必要があります。無線の通信では、一部は暗号化されるでしょうけど、そうでない情報もあります。きっと、それはほとんどが英語のはずです。

　英語がわかっていないと、自分の身や家族の身を守ることはできません。政府の情報を待っていたら、助からない可能性もあります。戦争ですから、一刻を争います。英語がわかっていないと、非常に不利になる可能性があります。

　もし、攻撃してくる国の部隊が日本に侵入してきたら、兵士が家に入ってくる可能性もゼロではありません。何があるかわかりません。

　兵士が家に入ってきたときに、意思疎通ができないと、殺される可能性があります。「私はあなたの敵ではありません」、「私は軍人ではありません」、「武器は持っていません」と言えないと、銃で撃たれるかもしれないのです。英語でこれを伝えられれば、英語は国際語ですから、意思疎通できる可能性が高くなります。もちろん、日本語より高まります。

これは、私の妄想ではありません。実際、ウクライナで起きていることです。自らが民間人であり、武器を持っていないことを証明できないと、皆、殺されてしまいました。

このことが、日本で絶対に起きないとは言えないのです。考えすぎと言われるかもしれませんが、世界ではよく起きていることです。

ベトナム難民の方が語った言葉の重要性

谷本　避難する場合もそうです。日本で何かがあったときに、一時的に外国に避難しなさいと言われて、避難する場合、その場所のコーディネーションをする方や、受け入れ国側の方は、英語がわかる場合が多いです。

国際機関の支援の人などは、英語はわかります。受け入れ国の政府も英語だったら、なんとかわかります。その場合、避難した方（日本人）が英語をわからないと、書類の記入もできないし、自分のことを説明できなくて非常に不利になります。

また、「支援物資がここにありますから、取りに来てください」ということを伝えられても、わからないです。

通訳の人がいつもいるわけではありません。英語がわかれば、早く支援物資をもらえ、避難情報も早く手に入れられ、準備ができます。ちなみに、これも、妄想で言っているわけではありません。

私の友人に、もともと子どものころにベトナム難民で、その後、アメリカで育った方がいます。彼が難民キャンプにいたときの話です。

ベトナムから、彼は親戚の人と一緒に逃げてきたのですが、そのときはまだ8、9歳ぐらいだと言っていました。避難したときは、みんな言葉がわからなかったそうです。彼は、まだ子どもだったから英語をすぐに覚えて、親や親戚の人にベトナム語で伝えたと話していました。

その彼が、言葉ができなきゃだめだと、言っていました。すごい苦労をしたそうです。

難民キャンプに収容されて、国連機関の人が来て、食べ物とか支援物資は持ってくるけれど、早い者勝ちになってしまうそうです。

みんな必死だから、いつ来るかがわかっていないとすぐになくなってしまうそうです。まわりから聞いたりしても、一番早く情報を持っている人は支援の人だから、その英語がわからないと、早く並ぶことはできないのです。

それに、支援物資が来たときに、支援の人が言っている英語がわからないと、並ぶ場所さえわからないと話していました。

「だから、言葉が大切なんだ」と、彼は言うのです。これは、実体験です。もし、台湾有事が起きたら、そうなる可能性は十分にあります。

現状を改革する勇気が必要

編集部　本の主旨と少し離れますが、谷本さんが世界と比較して、日本のいい点、悪い点、あるいは、世界のいい点、悪い点を、どう感じられますか。

谷本 イギリスに住んでいるので、比べやすいイギリスと比較します。イギリスは治安が非常に悪いですね。これは、よく言われていることですが、その通りです。

それから、衛生環境も非常に悪いです。しかし、いろいろな人がいて、いろいろな価値観が入っているので、衛生環境についても、いろいろです。

手の洗う習慣のない地域の方もいますし、ゴミをその辺に投げてしまっても平気な方もいます。昔は、それほど衛生環境は悪くなかったらしいですが、いろいろな人が増えてしまったので、衛生環境への考え方も多様化してしまっています。

イタリアもアメリカもそれは同じでした。これは多様性の裏側と言えます。デメリットの部分です。

多様な人たちがいるということは、多様な考えや文化があるということで、いいことなのです。いろいろな人がいるから大らかになります。許容性も高くなります。しかし、一方で、衛生環境の部分ではひどい状態になっています。

何ごとも、メリットとデメリットがあります。

日本は同一性が高いので、衛生環境は非常にいいですよね。お互いを見ているので、ゴミを投げ捨てたりしないし、どこもきれいにしておきます。他にも、先ほども話しましたが、仕事も細かいところまでキチッとやる方は多いです。

日本には、明確に条文化したルールでなくても、不文律が多くあります。だから、かなり細かい部分まで統制が取れています。

しかし、画期的なことをする人は、なかなか登場しにくい社会になっています。変わったことをする人も少ないです。みんな同じ方向へ向かっていきます。

これはリスクを考えると危険です。もし、その方向が違っていても、指摘する人がいません。これはビジネスなどではマイナスになります。

日本は、年功序列がありましたから、年齢の高い方、経験を積んでいる方を、尊敬する文化があります。それは、良い面でもあります。文化が継承されますし、お年寄りを大切にします。

良い部分もあるのですが、それまでの経験が通用しなくなった時に問題になります。また、年を経た方がおっしゃることが現状と合っていない場合とか、あるいは間違いだった場合に、指摘する方がいないのです。

これは、IT業界では致命的です。常に新しい方法を入れていかなければならない業界がITの世界です。新陳代謝が激しい業界です。

だから、数年前のことが通用しない場合もあります。しかし、40年前と同じ手法でやっているところがありました。40年前と言えば、まだPCが普及する前です。しかし、その手法を指摘できないのです。

それは、前任者がまだ在籍していて、その人のメンツを考えて、他の社員が引いてしまうのです。さらに、いままでの付き合いもありました。そのため、その部署全体に、指摘できない雰囲気がありました。

しかし、アメリカやカナダでは、そんなことはほとんどなくて、ドイツでもあまりありませんでした。「このやり方の方が、効率がいいから、やろう!」とはっきり指摘します。これは個人攻撃ではなく、その方が合理的で、効率的で、リスクも少ないからです。

そうなると、この手法でやろうとか、このシステムを導入しようとなります。そして、古いシステムを一気に捨ててしまいます。「新しいシステムを入れたから、もう、いままでのシステムは終わり」とすっきりしています。

これが、日本にはできません。気を使ってしまうからです。先輩のメンツもあるし、下請けの方もいますし、長年のお付き合いもあります。それに、先方の仕事がなくなってしまうのは可哀相だから、やっぱりやめましょうと、なってしまいます。
これが、日本の良い面であり、悪い面です。

日本にとってウクライナは他人事ではない

編集部 最後ですが、いま世界的に大きな問題としてウクライナ戦争があります。この戦争について日本人が、認識違いをしていることがあれば、教えていただきたいと思います。

谷本 日本人の方も実感し始めていると思いますが、ウクライナ戦争はヨーロッパだけの問題ではなくて、日本人の生活にも非常にかかわっています。
日本では2022年末から、電気代やガス代が倍以上に上がっているという話を聞いていますが、ヨーロッパでは半年以上前から上がっていました。日本は、それまでは、補助金等で支援していたので、それほど、極端に上がっていませんでしたが、今後はますますひどくなっていく可能性があります。

ヨーロッパの国々は、財政難で、なおかつ国家干渉を控えなければいけないという考えがありますから、燃料費の補助は、日本ほど行ってきませんでした。さらに、天然ガスにエネルギーを頼っていましたから、ロシアの天然ガスが止まって、燃料価格が一気に上がってしまったということもあります。

しかし、日本人は、日本政府が、エネルギーに関してかなり支援していたということを知っている人は少ないようです。

ウクライナ戦争が早急に収束すればいいのですが、現在、天然ガスの需給が非常に逼迫（ひっぱく）していて、価格高騰がかなり進んでいます。エネルギー価格というのはグローバルなモノなので、個人の光熱費だけでなく、産業全体にものすごい影響を与えます。エネルギーの価格が高くなれば、インフレも高まりますし、実質賃金が下がってしまいます。

だから、日本にとってウクライナの影響は非常に高いのです。

それも、今後、ますますひどくなっていく可能性の方が高い。いまの光熱費の高騰は、数ヵ月後の製品に転化されます。

そして、ウクライナ戦争の怖さは、ロシアに触発された近隣国が有事を起こさないという保障がないことです。

いまは、ヨーロッパもアメリカも、ウクライナに注力してしまっているため、日本を守ることができない可能性があります。

ロシアがウクライナに侵攻した同じロジックで、北方領土に軍を派遣する可能性はあります。ロシア人、ロシア語を話す人たちの権利を守るために、ロシアはウクライナに侵攻しました。北方領土にはロシア人が住んでいます。だから、そのロシア人の権利を守るというロジックは成り立ってしまいます。

日本にとってウクライナ戦争は他人事ではないのです。

（文責／編集部）

谷本真由美（たにもと・まゆみ）

1975年、神奈川県生まれ。著述家、元国連職員。シラキュース大学大学院で国際関係論および情報管理学修士を取得。ＩＴベンチャー、コンサルティングフォーム、国連専門機関、外資系金融会社を経て、現在はロンドン在住。日本、イギリス、アメリカ、イタリアなど世界各国で就労経験がある。ツイッター上では「@May_Roma」（めいろま）として舌鋒鋭いツイートが好評を博している。著書の『世界のニュースを日本人は何も知らない』（ワニブックスPLUS新書）は40万部を超える大ヒットシリーズ。

第二部　陰謀の見抜き方

第7章

ディープフェイクを見破る方法

ここでは、ネット上でのフェイクニュースに騙されないための研究をしている笹原和俊氏に話を聞く。現代社会で、既に始まっているディープフェイクは我々にどんな実害をもたらすのか。衝撃の真実が明かされる。

笹原和俊氏（東京工業大学准教授。『フェイクニュースを科学する』著者）に聞く！　フェイクの大嘘を見破る方法とは？

●ディープフェイクの怖さは何ですか？

「嘘による実害が発生することと、『嘘の配当』、そしてAIがその情報を学習してしまうことです」

2016年の米大統領選挙のフェイクニュースは序の口

編集部　2016年のアメリカ大統領選挙でフェイクニュースということが話題になりました。その後、2020年のアメリカ大統領選挙、2022年の中間選挙では、フェイクニュースはどのような状況だったのでしょうか。

笹原和俊氏（以後、笹原）　私は、２０１６年の大統領選挙の時に在外研究でアメリカにいました。当時、フェイクニュースという言葉はまだなかったのですが、真偽不明のニュースが毎日のように出てくることを経験したのです。

今もなお、アメリカの社会は分断しています。トランプ（前大統領）に関するニュースは、あることないことが支持者たちに拡散され、デマであっても正しいニュースとして共有されてしまうという事態が生じました。反トランプの人たちが、いくらそれはデマだと指摘しても、その情報は拡散しませんでした。しかしそれは、フェイクニュースの深刻さのレベルとしては序の口でした。

そのような書き込みをしていたのは、海外のマケドニア（２０１９年2月に北マケドニアに国名変更）で、そこの青年たちが小銭稼ぎで、ニュースを偽造していたと報道されました（※）。彼らは過激なクリックベイト（閲覧数を稼ぐために煽情的タイトルをつけること）記事を書いていました。そのような稚拙なデマと比べると、２０２０年の大統領選挙、２０２２年の中間選挙は、フェイクニュースが巧妙化してきたと感じています。

※２０１６年12月9日、アメリカのＮＢＣニュースは、東欧の小国、マケドニアの17歳の青年がトランプ

支持者向けの偽ニュースを発信し、広告収入で700万円も稼いでいたことを証言したと報道した。

笹原　当時も問題になっていましたが、2020年や2022年は、ボット（Ｂｏｔ。不正プログラム）がさらに広く使われ、ＳＮＳ上である人物の情報を選択的に拡散したり、介入をしたりして、フェイクニュースの使用が高度化しているという状況です。2016年は政治のフェイクニュースがほとんどでしたが、政治の話題というのは国境を越えません。アメリカの問題はアメリカで、フランスの問題はフランスで話題になるだけです。

しかし、その後、コロナの世界的流行が起こりました。コロナは公衆衛生上の危機であり、人々の命に係わる問題なので、それに関するフェイクニュースが、どんどん国境を越えて広がっていきました。これは、注目すべき現象と言えます。

さらに、ロシアとウクライナの戦争がありました。そこでは国家によるプロパガンダが精力的に行われています。

これらの状況は2016年とは大きく違うところです。そして、最近の流れとしては生成ＡＩ（※）やチャットＧＰＴ（※）が登場し、それらのＡＩがコンテンツを作り、それに合致する画像まで作って、拡散することが可能になりました。AIが作ったコンテンツはかなり精巧にできており、信ぴょう性が高いと感じてしまうものです。

※生成AIとは、画像や文章、音声、さらにはプログラムコードや構造化データまで、様々なコンテンツを作ってしまう（生成してしまう）人工知能（AI）のこと。そして、チャットGPT（ChatGPT）とは、対話形式でやりとりができる人工知能のこと。

笹原 それらの生成AIやチャットGPTがかなり使えるぞ、ということが分かってきています。2023年以降は、これらのAIを悪用したフェイクニュースがますます増えてきています。

今までのリテラシーが通用しないディープフェイクが登場している

編集部 フェイクニュースのコンテンツが高度化、巧妙化している一方で、2016年当時と比べて、アメリカの人々はフェイクニュースの存在を認識し、ある程度の免疫もできているように思いますが、どうなのでしょうか。

笹原　確かに、2020年や22年の選挙の時も、ディープフェイクと言われる、より高度なメディア合成技術が登場し、フェイクニュースがさらに深刻な問題になる、と誰もが危惧していました。しかし、実際にそういうことは起こりませんでした。

このことについて一部の研究者は、多くの人がフェイクニュースに慣れ、フェイクニュースへのリテラシーを身に付けてきたからだと推察しています。

マスコミやメディアがフェイクニュースの問題を頻繁に報じたことによって、多くの人がフェイクニュースの存在を認識し、ある程度、人々に免疫的なモノができたと考えられています。だから、2020年や22年の選挙の時は、ひどい状況にならなかったのだろうと言われています。

しかし、ニュースのリアリティーを非常に高めてしまうメディア合成技術が登場してきています。これまでのリテラシーが今後も効果的かどうかはわかりません。

フェイクの高度化・大量化が起こってくると、二つのことが問題になると思っています。

一つは、より巧妙化したフェイクによって、騙される確率が上がり、実害が生じることです。フェイクメディアによる詐欺の横行、さらには戦争が起きている危険なタイミングでフェイクが使われれば、誤認から核兵器のボタンが押されかねません。

このように、フェイクから間違った行動が誘発される実害の増加が、問題点の一つです。

もう一つは、あまりにも身の回りにフェイクがあふれてしまうと、オルタナティブファクト（alternative fact、もう一つの真実、※）や、ポストトゥルース（Post truth、ポスト真実、※）などと言われるような疑心暗鬼の状況になり、真実をあきらめてしまうという事態が起こることです。

※オルタナティブファクト（alternative fact、もう一つの真実）やポストトゥルース（Post truth、ポスト真実）とは、客観的な事実が重視されず、感情的な訴えが政治などに影響を与えることを指す。

嘘をついたもの勝ちの時代が来るかもしれない

笹原　どんなフェイクでも作れてしまうということになると、嘘つきが得をする状況が出て来てしまいます。

編集部　嘘をついたものの勝ちということですね。

笹原　ディープフェイクの技術によって、フェイクがいつでもだれでも簡単に作れてしまうので、真実を保証するための画像や映像の証拠性が稀釈されてしまう。都合の悪い事実はすべて「捏造されたものだ」として、都合よく否定できるようになってしまう、「嘘つきの配当」（※）が起こると考えられます。

※嘘つきの配当：嘘をついたほうが得をするということ

編集部　それを防いでいく方法というのはあるのでしょうか。

笹原　現在、ディープフェイクを防ぐための技術的な取り組みの流れは二つあります。まずは、ＡＩが作ったということをデータの中に残していく技術です。電子透かしのように、ＡＩで作ったという証拠が消えないようにしていく技術です。カメラで撮ったらそのカメラで撮ったという記録が自動的に入り、それが消されない技術です。さらに、メディアが編集されたら、編集された記録も残して追跡できるようにする技術です。

このような技術はアドビがすでに開発していて、試験的に使われ始めています。そのような技術開発は日本の光学機器メーカーのニコンも行っています。これから、このような技術はより進歩していくと思います。

そしてもう一つは、コンテンツやメディアが改竄（かいざん）されていないかということを検出する、いわゆるデジタルフォレンジック（デジタル鑑識）の技術です。

これは私が関わっているプロジェクトでも研究しているところです。

中国がディープフェイクで偽（にせ）の報道番組を作った

編集部 一つ目の技術に関しては、いくらデータに作られたという証拠を刻印して、消えないようにしても、悪質なものは、なんとか改竄して、証拠を消してしまうのではないでしょうか。

笹原 それは技術的課題として確かにあります。

さらに、最近、中国がディープフェイクを使って、海外で偽の報道番組をでっち上げていたことが報じられました。その番組で、中国を擁護し、アメリカを批判するニュースを流していたのです。

その中国は、2023年1月にディープフェイクに関する規制を作りました。世界で初の規制です。それは、ディープフェイクに関して、映像などを加工・編集する場合は許可をとることとか、使っていい範囲というのを定めました。しかし、その規制が及ぶ範囲は中国の国内だけなのです。

海外は対象外なので、ディープフェイクを使ったフェイクニュースの映像を国外で流しているわけです。さらには、それをビジネスにしています。

編集部　データに証拠が残る技術が世界的に普及する前に、すでにディープフェイクが広まっているとなれば、かなり危険な状況ですね。

中国に限らず、歴史的には、世界各国で、過去においても新聞やテレビ、さらにさかのぼれば口コミで、プロパガンダが流され、デマが拡散されていたと思います。現在のフェイクニュースの時代と、やっていることと本質的には同じだと思うのですが、現在と、今までの時代とどう違うのでしょうか。

笹原　拡散する量とスピードが全く違います。

特定の人に向けたフェイクも作ることができる

編集部　そうなると、フェイクニュースの現代は、危険な情報が一気に広まるということですね。

笹原　そうです。そして、量とスピードだけでなく、よりパーソナライズされたフェイクが作られることです。ネットなどを通じて集めた大量のデータから、ＡＩが特定の人向けの、より信じやすい、より見たい嘘を作ることができます。

編集部　ネット広告みたいな、今までアクセスした情報を踏まえて、より買ってもらえそうな広告を提示するようなものですね。

笹原 そのため拡散力が格段に強くなってしまっているというのが現状です。
今までは、ある程度の大きさの集団やグループに向けたフェイクだけでしたが、ある特定の人へ向けた、ピンポイントのフェイクが作れるようになったのです。

編集部 そうなると、今のプラットフォームが行っている個人情報の収集を基礎に置いたマーケティングも見直さなければならないですね。

笹原 そうです。個人情報の収集によるマーケティングをツールとして考えた場合に、私にピッタリの商品を紹介してくれてありがとう、という側面もあるだろうし、個人情報を使ったターゲティングはよろしくない、という側面もあります。
ヨーロッパでは後者がかなり強くなっていて、ターゲティングを規制する方向に向かっています。アメリカでも一部のSNSではそうです。未成年に対して、年齢・性別・関心などの情報をターゲティングに使ってはいけないとなっています。
一時期のなんでもかんでもデータをターゲティングに使ってしまえ、というのはなくなってきています。また、そのような広告のビジネスモデルを称賛し、推進する状況も変わっています。

かつてよりも個人情報がトラッキングしづらくなっています。プラットフォームがそこで発生した個人情報を牛耳っているけれども、そのデータの出どころは私たちなので、私たちがその情報をコントロールできる状況を作り出す必要があります。

また、私たちが使ってほしくない情報は使われないように、コントロールできるようになっていかなければいけないと思います。

編集部　個々人が、自分の考え方で、使っていい情報、使ってほしくない情報を選べる状況になりつつあり、そうなっていかなければいけないということですね。

笹原　そうです。今はまだ、全部「ダメ」か、全部「いい」かになっています。自分の情報を使ってほしい人もいて、そういう人は、それらの情報をどんどん使ってもらって、自分にふさわしい広告や推薦を提示してほしいと考えています。もちろんその逆の方もいますし、一部だけは「いい」という人もいます。

それが、大人であれば、自分の判断でできるようにするべきです。一方、未成年に関しては、大人が守らなければいけない部分もあるので、一部の情報は規制する必要が出てきます。

ただ、困難な部分もあります。

それは、AIの特性にあります。AIは、ある人間の全ての情報をインプットして学習することで、その人間の特性を導いています。そのため、個人のある一部の情報だけを抜いて学習させて、その人間の特性を推測するのは、難しい面があります。

そのため、プラットフォーム側が、細かく情報をユーザが選択できるようにすると、今の広告や推薦が機能しない可能性はあります。

編集部　技術的問題があるということですね。

笹原　そうです。

ロシアは見え見えのプロパガンダ隠しをしている

編集部　笹原さんは、２０２２年の11月に、「日経テレ東大学」というＹｏｕＴｕｂｅの番組で、ＳＮＳ内でのワクチンをめぐる言説に関する研究を紹介していましたが、それ以降、社会問題についてＳＮＳの研究はされているのでしょうか。

笹原　ウクライナ戦争をめぐるテレグラムの分析をしました。テレグラムはＬＩＮＥのようなチャットのツールです。

分析の目的は、戦争をめぐって、ＳＮＳが、どのように使われているかを研究することでした。

おそらく、現在のウクライナ戦争が、本格的にＳＮＳが戦争に使われた初めての例であり、ゼレンスキー大統領のディープフェイクの映像が流れたのもこの戦争です。そのため研究材料としては、ふさわしいと判断しました。

まずウクライナ側の公式アカウントと、ロシア側の公式アカウントのＲＴ（旧ロシア・トゥデイ）を調べてみました。さらに、政治家がどうやって、SNSを自国に有利になるように使っているのかを知りたかったので、ゼレンスキー大統領のアカウントも調べたのです。

ロシア側の政治家も知りたかったのですが、適切なテレグラム・アカウントがなかったために、残念ながらそれはあきらめました。

そして、これら三つのアカウントにおける、投稿されたテキストの内容や感情を分析をし、さらにネットワーク分析をしました。

わかったことは、ロシアもウクライナも公式アカウントの方が、投稿数は多いのです。ゼレンスキーはたまにポツポツと投稿するだけです。しかし、閲覧数で比較すると、圧倒的にコスパは、ゼレンスキー大統領の方が勝りました。

また、使っている言葉の感情やトーンは、不自然なほど、ゼレンスキーはポジティブでした。二つの公式アカウントがニュートラルな表現を多用しているのとは全く違います。そして、ゼレンスキーが使っている言葉も「素晴らしい」とか「勇敢だ」など、戦争の渦中にある自国民を鼓舞するようなものでした。

テキストの分析からは、ゼレンスキーが意識して自国民の感情を高揚させていることがわかりました。

それから、通常、どのアカウントでも、それらの投稿を周辺のボット（Ｂｏｔ）が拡散させているということが知られています。そのため、ボットの存在状況を調べました。

ウクライナの公式アカウントには、その周りにアカウント名にＢＯＴとついているユーザが存在するので、ボットが公式アカウントのツイートを拡散している状況がわかります。

しかし、ロシアの公式アカウントの周りのネットワークを調べると、ユーザ名に一つもＢＯＴとついたアカウントがないのです。これは、明らかに不自然です。

つまり、ボットだけれども、正体を隠して、おそらく人力でボットのようにふるまっているアカウントがある。そのような半分ボットで半分人間みたいなアカウントを、私たちはサイボーグと呼んでいます。そんなことがロシア側のアカウント間のやりとりから見えてきました。

編集部　なぜ、ロシア側はサイボーグを使っているのでしょうか。

笹原　基本的にこれらのボットはプロパガンダ用に作られています。ボットのアカウントがないのは、ロシア側による「意図的なプロパガンダはやっていませんよ」という隠れたメッセージだと思います。しかし逆に、それを隠すことで、その政治的意図が見えてしまっています。

ほどよくボットがいた方が、対外的に自分たちの声を拡散したいという意図がわかるので、理解できます。しかし、ボットと明記されたアカウントが全くないのは、逆に怪しいと言えます。

SNSでは反ワクチン派の傾向は日米で同じ

編集部　さきほど、「日経テレ東大学」でワクチンをめぐるSNSの分析をされた話を出しましたが、先生はそこで、日本もアメリカもワクチンをめぐるSNSの状況は非常に似ていると話されていました。

反ワクチン派とワクチン賛成派がおり、その中間にインフルエンサーやメディアがいると、そして反ワクチン派の言葉は非常に攻撃的で、毒性が高いとおっしゃっていました。

さらにアメリカでは、反ワクチン派がトランプ支持派で、ワクチン賛成派が反トランプ派であると話されていました。他に特徴的なことはあったのでしょうか。

笹原　日本もアメリカも反ワクチン派の投稿に含まれる言葉は、非常に毒性の高いものであるという共通点をもっていました。そして、反ワクチン派が攻撃する対象が両国とも、中間に位置するインフルエンサーやメディアに向かっていました。

編集部　毒性が高くなるのは「日経テレ東大学」のMCの方もおっしゃっていましたが、ワクチンを推進しているのが政府で、力があるので、あえて、ワクチン賛成派が毒性の高い言葉を使わなくてもいいのではないかと。逆に、反ワクチン派は力がないので、「声を荒げる」ような言葉を使ってしまうのかもしれませんと。

ただ、反ワクチンでもない、ワクチン賛成派でもないインフルエンサーやメディアに攻撃が向いているのは、不思議です。なぜでしょうか。

笹原　なぜ、そうなっているのかはわからないのですが、あえて、フォロワーが多い人を狙っているな、とは感じました。個別に言えば、反ワクチン派の人で医師の方もいました。その方は、自ら書いた反ワクチンの著書を取り上げながら、口撃していました。

編集部　本の宣伝ですね。

笹原　そういう方もいました。

編集部　もちろん、本を出している方はほとんどいませんから、それよりも、やはり、中間のインフルエンサーを狙って、自らの主張を広めたいということですね。

笹原　そうだと思います。拡散させることで承認欲求を満たしているのだと思います。SNS上の反ワクチン派の人たちは、ワクチンの身体に対する影響が不安で、ワクチン接種をためらっている人たちではなく、非科学的な考えに固執し、毒性の高い言葉で口撃するほんの一部の人たちです。

そのような人たちは、研究者からすると、なかなか手が届かない人たちです。

編集部　穏やかに話をしましょうと言っても、罵倒が返ってくるだけですからね。

笹原　だから私たちの戦略は、社会的ネットワーク上で、毒性の高い言葉で反ワクチン言説を拡散する人たちのワンステップ先、ツーステップ先にいる人たちを守っていくことなのです。

報道機関は信頼が大切。信頼が共感を生み、共感が正しく情報を伝える

編集部　ワクチンがいいとか、悪いとか、という問題もありますが、SNS内で、自らが相手の感情に引っ張られることなく、理性的に、合理的に判断できるポジションを、常に取ることのできる体制は大切ですね。

質問ですが、これは、ワクチン問題だけに限らず、SNS内で取り上げられたことが、大手メディアに取り上げられて、大問題になることがあると思います。例えば、コロナ禍が始まったころにトイレットペーパーがなくなるという事件がありました。アルコールもなくなりました。あれも、SNS内での、ちょっとした情報を、テレビがそのまま伝えてしまったため、大ごとになってしまったと思います。

その点はどのようにお感じでしょうか。

笹原 これは、確かに問題です。SNS内のことを、テレビなどのメディアが伝えると、ニュースの注目度が上がってしまうのです。それによって、そのワードがネットでの検索で上位にランクインしてしまい、より多くの人たちの目に触れてしまいます。それがまた閲覧を増やすことで、ニュースの注目度をさらに上げてしまう構造になっています。

コロナ初期のトイレットペーパー問題の時は、トイレットペーパーがなくなるというデマの拡散は少なかったのですが、品薄になるかもしれないという真実の報道が、人々の危機意識をあおりました。家にトイレットペーパーはあるけど、もう一つ買っておこうという合理的な心理が働き、結局、トイレットペーパーが店頭から消えるという事態が生じてしまいました。

これはメディアが対策をしないといけないですね。

メディアも広告ビジネスに乗っかっている以上、視聴者や読者にささるとか、ビュー（Ｖｉｅｗ）を稼げるものは報道したくなります。もちろん、コロナの時みたいに公衆衛生上の危機だったり、戦争や大災害の時に、本当に正しい情報を伝えることは大切です。ただし、その時だけでなく、常日頃から、視聴者や読者に伝えるニュースの選択や伝えるための表現に注意しなければならないと思います。

間違った情報を流したり、正しい情報でも誤解を生む表現をすると、信用を失います。信用は重要です。なぜなら、信用は信頼を生み、信頼が生まれれば、そこに共感が生まれるからです。その共感によって、正しい情報が、また伝わりやすくなります。

ロジックだけでは、情報は伝わりません。

儲かるからとか、短期的ビューを稼ぐためにとか、信頼を損なってまで、そのようなニュースを流していいのかというと、それは違うと思います。この点をメディアはしっかり考えないといけないと思います。

もちろん、報道の中には、オピニオンがあってもいいと思います。憶測もあってもいいと思います。しかし、それらを出すタイミングを間違ってはいけません。

噂は「話題の重要性×状況の曖昧性」で広がる

編集部　余談ですが、間違ったタイミングがわかる研究というのはあるのでしょうか。

笹原　噂の公式というものがあります。話題（情報）の重要性と状況の曖昧性の掛け算で、どれだけ噂が広まるか、というものです。どちらかがゼロだと、噂は広まらないのです。

話題の重要性とは、コロナ感染が発生したりとか、戦争が起こったり、とかです。これらの話題の重要性はわかると思います。ここがゼロなら、報道する意味はありません。

だから、もう一方の「状況の曖昧性」を減らすということをしなければなりません。曖昧性を減らすための方策を考える必要があります。曖昧な情報に触れた時、必ずここを見に行けば根拠がある情報にたどりつけるとか、ここに聞けば必ずわかるとか、そういうところを確保しておく必要があります。

編集部　重要な情報であればあるほど、曖昧性をなくさないといけないということですね。曖昧性をなくすには、情報をチェックしてくれる機関を持っている必要がありますね。

曖昧な重要情報が一番危ないですね。

笹原　それは最悪です。ただし、その情報の正誤を検証するファクトチェックを担える機関が日本国内に複数できるのかというと、なかなか難しいところです。情報を政府が検証するのは統制につながるので、これはよくありません。メディアも広告ビジネスが絡むので、情報のチェックに向きません。

メディアでもない、政府や行政でもない、第三者機関（団体）が必要ですが、日本の場合、それを担う団体が少ないのです。これが問題です。日本は情報の正しさを求めるために、寄付をするとか、お金を払うという文化がありません。

海外ですと、寄付でファクトチェック団体が成り立っていることが多いです。もちろん、新聞社がファクトチェックを行っている場合もあります。

海外では、情報の正しさにお金を出すという文化があるのです。

そもそも、日本人は正しい情報を空気のようにタダだと思っているところがあります。しかし、タダではありません。正しい情報を得るのは、ものすごくコストがかかります。

SNSで流れてくるジャンク情報やスポンサーによる広告などを消費することに慣れてしまっていると、クオリティーが担保されたニュースサイトにお金を払ってまで、見ようとしなくなります。

正しい情報にお金を払うという習慣が根付かないと、お金を出してニュースを見るというところまでいかないでしょう。それでは報道機関も滅びてしまいます。

プラットフォーマーが意図的な偏向を行っているとは考えづらい

編集部　GAFAなどのプラットフォーマーに対して、保守的な言説に関して規制を加えているという批判がありますが、どのようにお考えでしょうか。

笹原　私は、プラットフォーマーの内部にいるわけではないので、正確なところは分かりませんが、保守的な言説だから規制している、リベラルな言説だから規制しないということはないと思います。ツイッター（現X、以下同）やフェイスブックに、有害なコンテンツを規制するガイドラインがあります。それに曖昧なところがあったり、整備されていなかったり、あるいは適切に順守されていないケースは、これまでにもあったのだろうと推測できます。

今のツイッターは混乱の極みで、そのような規制をしていた部署の人たちが大量解雇されてしまって、かなり少ない人数でやっている状況です。今まで機能していた部分がなくなり、より混乱する可能性があります。

ツイッターのボットを使ったフィールド実験で、拡散しているニュースの偏りを測定したところ、どちらかというと、保守派に有利な情報に偏る傾向があったという結果が出ています。決してリベラルに有利になっているわけではなさそうです。

保守派のコンテンツの方が、リベラルよりも非常に多くあるので、割合としては保守のコンテンツが多く削除されることとなります。

ただ、実際に削除されたコンテンツを発信したユーザにとっては、統計より、自分の体験の方がビビッドなので、その体験に認識が引っ張られることはあると思います。

しかし、統計的に見て、リベラル派がプラットフォーム上で有利になっているということは考えられません。

拡散するスピードが一番速いのは「怒り」の感情

編集部 自分の体験などからくる感情の強さが、拡散を大きくするということはあるのでしょうか。

笹原 マーケティングやフェイクニュースの研究で知られていることがあります。

「喜び」は拡散しやすいということがあって、だからマーケティングが働くわけです。

「これはいい」「これは素晴らしい」というのは広まっていきやすいのです。

一方で、「怒り」も拡散しやすいのです。ネガティブな感情の中でも「怒り」はそうです。人々を刺激するような、煽情的な情報というのは拡散しやすいのです。情動伝染といいますが、これはフェイクニュースの特徴の一つです。

編集部　「喜び」と「怒り」とどちらが拡散しやすいのですか。

笹原　拡散のしやすさはケースバイケースですが、伝わるスピードが速いのは「怒り」です。そういう研究はあります。

人間の脳に対してシステム1、システム2という考え方があります。システム1は人々の直感で、脳で言うと古い脳が司り、反射的に何かをするところです。「怒り」は、ここを刺激するので、論理的に考える前に人は行動してしまいます。そのシステム1を駆動するから「怒り」の拡散力は強いのだろうと言われています。

編集部　そうすると「怒り」に触れた時は、少し引いてみる習慣をつけた方がいいですね。なぜ、怒っているのかとか、怒りの根拠は何かとか、冷静に考えた方が、メディアリテラシーという意味では必要ですね。

フェイクニュースの拡散を防ぐ正確性のナッジ

笹原　そう言えます。ユーザーの態度として、そう心がけるべきですし、プラットフォームでも、そういうことを促すような仕組みがあるといいですね。煽情的な情報に反応して、毒性の高い言葉を使って口撃したり、リツイートしようとした時に、アラートが出るといいですね。「少しカッとなっていませんか」とか、「ちょっと冷静になってみませんか」とか、判断にワンクッションおくような簡単な注意が出るといいですね。

フェイクニュースにおけるナッジ（行動経済学で言う「そっと後押しする」こと）の効果に関する研究があります。フェイクニュースに触れた時、「そのニュースはどれくらい正確でしょうか」というアラートが出るようにすると、拡散するのを止めるだけでなく、学習効果があるという実験室実験の結果が出ています。これを正確性のナッジといいます。

そのため、再度フェイクニュースに触れても、共有しなくなる確率が上がります。

これはプラットフォームでも効果が確かめられています。グーグルのシンクタンクであるジグソーがプラットフォームでも効果があるのか実験したところ、何十パーセントものフェイクニュースの拡散が削減できたのです。

ちょっとした行動介入によってプラットフォーム・レベルでの効果を目指そうという試みが、今の研究の流れの一つです。

編集部　その流れでいうと、笹原さんのところの研究はどういうものなのでしょうか。

笹原　行動レベルのちょっとした介入をし、フェイクニュースの拡散が減るかとか、フェイクニュースに騙されなくなるとか、という類のものを考えています。

具体的には、ディープフェイクに関する実験です。ディープフェイクはリアリティーが高いので騙されやすいフェイクです。

悪用される可能性のあるディープフェイクは共有してほしくないので、どういうリテラシー教育をした時に、共有の確率が下がるかを考えたいと思っています。

考えている学習法は二つで、一つは教科書みたいにパッシブに、受け身で学習する方法です。ディープフェイクの性質や見破るためのコツを教える座学です。つまり、ディープフェイクの知識を教えるのです。

もう一つは、自分でディープフェイクを作ってみるという能動的な学習です。ツールを使って自分で偽動画を作ってみると、「あっ！　こんなに簡単にディープフェイクが作れてしまうんだ。それもこんなにリアルなものが」という経験をさせるのです。

そうすると、真偽が疑わしい動画が出てきた時に、「これはディープフェイクなんじゃないか」という疑いの心が、単に座学でディープフェイクの知識を聞くよりも、自分で作った経験があるとよみがえる可能性が高いと考えています。

この実験を、これから１０００人規模の被験者を集めて行おうと思っています。

フェイクニュースのマジョリティーは政治の話

編集部　笹原さんが出された『フェイクニュースを科学する』という本には、アメリカではフェイクニュースのリテラシーを学ぶためのゲームがあると書かれていましたが、日本にはないのでしょうか。

笹原　ありません。それは、日本では、フェイクニュースがそれほど深刻な問題になっていないからです。

フェイクニュースの主要なトピックは政治です。コロナも問題になりましたが、これも収束に向かっています。そうなると、やはり政治がフェイクの対象ですが、日本では政治に関するフェイクニュースは少ないのです。

もともと日本では、ＳＮＳは政治を語るプラットフォームでさえなかったのです。沖縄知事選でボットが使われたことが問題になったぐらいしか、今のところ大きな事件はありません。

しかし、今後、政治のフェイクニュースが事件にならないかどうかは分かりませんし、今までがラッキーだったのかもしれません。ディープフェイクが登場することで、フェイクが高度化、巧妙化するので、深刻な事件が起こる可能性は高まっているとは言えます。

編集部　再度、確認する意味でも聞くのですが、笹原さんは『ディープフェイクの衝ょうか。

撃』という本を、出されましたが、ディープフェイクの「衝撃」はどこにあるのでし

笹原　先ほど述べた、嘘の高度化で騙される人が増えることと「嘘の配当」です。

そして、ディープフェイクのデータをＡＩが本物だと思って学習してしまうことです。バイアスのある情報を、ＡＩが学習してしまって、よりバイアスのあるものになってしまう。嘘が嘘をより拡大していくことになるのです。

これは非常に恐ろしいと思います。

だからこそ、ＡＩが生成したコンテンツに関しては、電子透かしを入れて、ＡＩが作ったものであるということがわかるようにしなければなりません。それによって、コンテンツが改竄されれば、そのことがわかるような仕組みが必要です。ブロックチェーンのような、誰かが改竄すれば、全員がわかるような仕組みです。

そして、人間が真贋を区別できるようにし、合成された偽物はＡＩの学習対象から外す必要があります。今のＡＩはデータから自分で学んでしまうので、改竄されていないことが保証できるデータをＡＩの学習に使用しなければ、嘘が強化され、大量生

産されてしまいます。

正確な情報がタダで手に入る時代は終焉を迎えたのでしょう

編集部　すでに、そのような電子透かしは作られているのでしょうか。

笹原　実用レベルのものはまだです。すべての情報にブロックチェーンのような仕組みを入れていたら、コストや速度の問題があるので、技術的な工夫が必要です。非常にセンシティブな情報については、ブロックチェーンのようなよりセキュアな仕組みが必要でしょうが、そうでないものは、簡便な電子透かしで良いかもしれません。そのようなすみわけが必要になってくると思います。

電子透かしの技術は大切だと思います。生成ＡＩなどで作られた画像や情報は、そういう「透かし」が入ってない限り、見抜くことが難しくなります。改竄を検出する技術だけでは、それがフェイクであるかどうかはなかなか見抜けなくなるということです。

だからこそ、それが本物なのか、作り物なのか、画像にしっかり刻印すべきです。

編集部　なかなか作り手側に「透かし」を入れるという倫理を求めるのは難しくないですか。

笹原　確かにそういう問題があります。だからこそ、ルールを整備していく必要があります。

編集部　ユーザー側から言えば、そのような「透かし」が入っていれば問題ないですが、そうでない場合に、どのように見抜けばいいのでしょうか。

笹原　人間の眼だけでは無理だと思うので、ディープフェイクを見抜くＡＩを使ったソフトやサービスを使うことになると思います。

私も参加している戦略的創造研究推進事業ＣＲＥＳＴ（クレスト）では、タレントや著名人のディープフェイクの映像を検知するプログラムを開発し、サイバーエージエントが採用しています。タレントやアーティスト公式3DCGモデルの「分身」に対して、フェイクを見つけるものです。

編集部 それは、汎用性の高い、完成版と言えるものなのですか。

笹原 これで完成というものは、なかなかできません。そもそもAIは、データをどんどん学習していって生成精度が上がっていきますし、検出用のAIが見抜けない巧妙なフェイクも出てくるでしょう。それに対しても、現在の検出技術をアップデートしていく中で、より検出性能が優れたものもできてきます。

編集部 永遠のいたちごっこですね。

複数の情報ソースを持って、それらに書かれていない情報はスルーする

笹原 永遠のいたちごっこを繰り返すしかないと思いますし、こちらが常に先に行っ

ていないといけません。そうしなければ、ディープフェイクが出回ってしまいます。

編集部　永遠のいたちごっこを繰り返すのは、ディープフェイクに関わる研究家だけでなく、現代に生きる人たち誰でも、そうなのかもしれませんね。情報を得ようとしたら、そのスキルを常にアップしていかないと、騙される可能性は上がっていくでしょう。

笹原　われわれのスキルもそうですし、騙しを見抜くツールも必要になってくると思います。情報をタダで、苦労なく得られる時代は、終焉を迎えたのかもしれません。自分にとって信頼のおける情報ソースをいくつか用意しておき、疑問に思ったら、そこに行って確認するのが重要です。それは、人であっても、メディアであってもいいと思います。そして、信頼のおける複数の情報ソースが言及していないことは、スルーすればいいと思います。

（文責／編集部）

笹原和俊（ささはら・かずとし）

2005年東京大学大学院総合文化研究科修了。博士（学術）。名古屋大学大学院情報学研究科助教・講師を経て、現在、東京工業大学環境・社会理工学院准教授。国立情報学研究所客員准教授。専門は計算社会科学。主著に『フェイクニュースを科学する 拡散するデマ、陰謀論、プロパガンダのしくみ』（化学同人）、『ディープフェイクの衝撃 AI技術がもたらす破壊と創造』（PHP研究所）がある。

日本を危機に陥れる陰謀の正体

（にほんをききにおとしいれるいんぼうのしょうたい）

2024年2月20日　第1刷発行

著　者　鈴木宣弘、深田萌絵、池田清彦、谷本真由美 ほか
発行人　関川 誠
発行所　株式会社 宝島社
〒102-8388　東京都千代田区一番町25番地
電話：営業 03(3234)4621／編集 03(3239)0927
https://tkj.jp
印刷・製本　株式会社広済堂ネクスト

Printed in Japan
First published 2023 by Takarajimasha, Inc.
ISBN 978-4-299-05198-1